丛书组编：四川英华教育文化传播有限公司

高等教育自学考试系列辅导丛书

编 委 会

丛书前言

依靠自己的力量，在有限的时间里学习一门新学科，从不懂到懂，从不会到会，从不理解到理解，从容易遗忘到记忆深刻，从不会应用到熟练应用，从模仿到创新，把书本知识内化为自己的知识，是一个艰难的过程。在这个过程中，自学者不仅需要认真钻研考试大纲，刻苦学习教材和辅导书，还应该做适量的练习，把学和练有机地结合起来，否则，就不能达到预定的学习目标。“纸上得来终觉浅，绝知此事要躬行。”这是每一位自学者都应遵循的信条。

编写模拟试题，同样是件不容易的事。它对编写者提出了相当高的要求：

- 有较深的学术造诣；
- 有较丰富的教学经验；
- 对高等教育自学考试有深刻的理解并有一定的辅导自学者的经历；
- 对考试大纲、教材、辅导书有深入的了解，对文中的重点、难点、相互关系等有准确的理解；
- 对自学者的学习需要和已有的知识基础有一定的了解。

只有这些要求都满足的编写者才能编写出高质量的，有利于自学者举一反三、事半功倍的练习题。

基于学习目标的考虑，我们把模拟试题大致分为四个部分：

第一，单项练习，即针对一个知识点而设计的练习题。其目的在于帮助自学者理解和记忆基本概念和理论。

第二，创造性练习，即通过提供多样化的案例、事实、材料，鼓励考生运用所学的理论、观点、方法，创造性地解决问题。这类问题可能没有统一的答案，只有一些参考性的解题思路。其目的很明确，就是培养自学者的创新意识和能力。

第三，综合自测练习，即在整个学科范围内设计练习题，充分参考考试大纲中的题型，编纂成类似考卷的练习题。其目的在于使自学者能够全面、及时地检测自身学习状况，帮助自学者做好迎接统一考试的知识及心理准备。

第四，历届试题练习，旨在帮助自学者能按正规考试要求进行学习效果的测试。

子曰："学而时习之，不亦说乎。"本书可以让自学者边学边练，有规律地进行复习，这不仅可以提高学习效率，也能给艰难的学习过程带来一些快乐。圣人能够体会到这一点，而今，我们每一位自学者也同样能体会到。如果通过这样的学习过程，实现学习目标、实现人生的理想、实现对自我的不断超越，那么，我们说这种学习乐趣无穷，实为恰如其分，毫不夸张。

高等教育自学考试系列辅导丛书的编写和出版，旨在适应新时期高等教育自学考试事业发展和教学手段变革的需要，彰显高等教育自学考试现代教育理念，在继承中创新、在发展中提高，打造符合高等教育自学考试教学规律的经典试题集。这是一项艰巨而复杂的"培根铸魂"式的文化系统工程，它要求编者投入大量的时间与精力。组织并编写高等教育自学考试系列辅导丛书，是深化辅导丛书育人功能、助力高等教育自学考试高质量发展的有益的探索和实践。

先进思想引领伟大事业。面对国家发展、民族复兴的迫切需求，面对时代改革、未来发展带来的巨大挑战，面对知识获取、传授方式的革命性变化，我们理应挺膺担当，以奋发有为的姿态，满怀信心地肩负教育事业赋予文化企业的使命。我们理应砥砺前行，为实现科教兴国的伟大中国梦，造就堪当民族复兴大任的"腹有诗书气自华"的时代新人而不懈努力。我们坚信，只要怀有对文化教育事业的诚挚热爱，心系考生，情牵教育，牢记使命，那么，胜利与成功必将属于付出努力的人。我们定能携手并进，共同书写以教育强国建设为支撑，引领中国式现代化的新篇章。

四川英华教育文化传播有限公司自考命题研究组

2024 年 5 月于成都

编写说明

《外国文学史模拟试题集》系全国高等教育自学考试汉语言文学（050101）、汉语国际教育（050103）必修课程“外国文学史”的配套参考用书。“外国文学史”讲的主要是外国文学的发展史，即对外国文学发展的脉络和框架进行简洁、明细的勾勒与描绘。本课程的内容包括上下几千年，纵横几十国，无比灿烂和丰富的外国文学史上的各类现象。

自该课程开考以来，尚未有专门的复习资料供考生练习使用，考生在复习迎考时觉得无从下手。为了满足广大考生复习备考之需求，我们依托长期在高等教育自学考试教学和管理领域积累的经验，精心编写了本书。

在编写时，我们依据全国高等教育自学考试指导委员会发布的《外国文学史自学考试大纲》，并参考了由孟绍毅主编的《外国文学史》（2023年版）教材。同时，我们紧密结合不断涌现的文学理论科技成果，不断变革的文学理论，以模拟试题形式组织编写了本书。我们力求做到重点突出、内容全面，既有针对性，又有较强的实际效果。本书题型包括单项选择题、多项选择题、名词解释题、简答题、论述题等多种常规考试题型。本书配有较为完整的参考答案，以供考生练习使用。

模拟试题有其局限性，希望考生在认真研读教材、大纲的基础上去练习，不可本末倒置，置教材、大纲于不顾，而一味地做题、猜题、押题，相信考生能理解我们编写此书的良苦用心。“书山有路勤为径，学海无涯苦作舟。”辅导书固然好，但也只是一个助手，在通往成功之路上，更多的是需要自学者的勤奋和努力。

“梅花香自苦寒来。”考生在学习外国文学史课程的过程中，唯有掌握恰当的学习方法，熟读所学内容，并辅以大量练习，方能学好这门课程，进而取得优异成绩，实现梦想。

知识随时在更新，我们会根据新形势、新情况，应广大考生要求，编写出更多、更新、更贴合自考需求、更遵循自考规律的辅导书。

在编写本书时，我们吸收了国内同行的许多经验和优秀教学成果，并得到主考院校西南科技大学、四川旅游学院、四川大学、四川农业大学、成都信息工程大学、成都艺术职业大学，以及新疆师范高等专科学校、四川科技职业学院、成都航空职业技术学院、四川交通职业技术学院和西南财经大学出版社的大力支持，在此一并表示感谢。同时，我们向所有参与编写的老师的辛勤付出和无私奉献表示感谢。

由于编写时间仓促和经验不足，书中不足之处在所难免，希望考生和助学教师在使用过程中提出批评和意见，我们将会在再版时进行更新与弥补。

四川英华教育文化传播有限公司自考命题研究组

2024 年 5 月于成都

目 录

全国高等教育自学考试
外国文学史模拟试卷（一）

（课程代码　00540）

第Ⅰ部分　选择题（38分）

一、单项选择题（本大题共26小题，每小题1分，共26分。在每小题列出的四个备选项中只有一个是符合题目要求的，请将其代码填写在题后的括号内。错选、多选或未选均无分。）

1. 莫里哀创作中现实主义精神最强的一部作品是（　　）。

A.《吝啬鬼》　　B.《伪君子》

C.《唐璜》　　D.《多情的医生》

2.《奥德修纪》突出的是（　　）。

A. 海上冒险　　B. 阿喀琉斯的愤怒

C. 寻父　　D. 夫妻团圆

3. 中世纪日耳曼人的史诗是（　　）。

A.《贝奥武甫》　　B.《卡列瓦拉》

C.《希尔德布兰特之歌》　　D.《罗兰之歌》

4. 下列属于塞万提斯在《堂吉诃德》中塑造的侍从形象的是（　　）。

A. 靡非斯托　　B. 雷欧提斯

C. 史嘉本　　D. 桑丘

5.《巨人传》的作者是（　　）。

A. 塞万提斯　　B. 维加

C. 乔叟　　D. 拉伯雷

6. 下列属于世界文学史上第一部文人史诗的是（　　）。

A.《奥德修纪》　　B.《伊利昂纪》

C.《埃涅阿斯纪》　　D.《伊戈尔远征记》

7. 使法国古典主义悲剧走向成熟的作家是（　　）。

A. 高乃依　　B. 拉辛

C. 布瓦洛　　D. 拉封丹

8. 主要取材于歌德自己的生活体验的作品是（　　）。

A.《少年维特的烦恼》　　B.《浮士德》

C.《诗与真》　　D.《亲和力》

9. 下列被恩格斯称为“天才的预言家”的英国浪漫主义诗人是（　　）。

A. 华兹华斯　　B. 雪莱

C. 拜伦　　D. 约翰·济慈

10. 湖畔派诗人中成就最高的是（　　）。

A. 华兹华斯　　B. 柯勒律治

C. 骚塞　　D. 乔治·桑

11. 下列作品代表了西欧现实主义文学最高成就的是（　　）。

A.《红与黑》　　B.《人间喜剧》

C.《包法利夫人》　　D.《双城记》

12. 在《死魂灵》结构上起着穿针引线作用的人物是（　　）。

A. 玛尼洛夫　　B. 乞乞科夫

C. 泼留希金　　D. 索巴凯维奇

13. 下列属于左拉最著名的描写劳资矛盾的小说的是（　　）。

A.《金钱》　　B.《娜娜》

C.《小酒店》　　D.《萌芽》

14. 下列被誉为“美国现代短篇小说之父”的是（　　）。

A. 欧·亨利　　B. 德莱塞

C. 杰克·伦敦　　D. 刘易斯

15. 组诗《安魂曲》的作者是（　　）。

A. 邦达列夫　　B. 阿·托尔斯泰

C. 爱伦堡　　D. 阿赫玛托娃

16. 乔伊斯的代表作是长篇小说（　　）。

A.《为芬尼根守灵》　　B.《尤利西斯》

C.《青年艺术家的肖像》　　D.《达罗卫夫人》

17. 美国“黑色幽默”小说作家海勒的代表作是（　　）。

A.《第二十二条军规》　　B.《椅子》

C.《橡皮》　　D.《犀牛》

18. 两河流域的古巴比伦产生了现存人类社会最早的完整史诗是（　　）。

A.《吉尔伽美什》　　B.《摩诃婆罗多》

C.《罗摩衍那》　　D.《亡灵书》

19. 下列属于希伯来民族的文学总集的是（　　）。

A.《旧约》　　B.《次经》

C.《伪经》　　D.《死海古卷》

20. 下列属于近代孟加拉文学创始人的是（　　）。

A. 般吉姆·查特吉　　B. 芥川龙之介

C. 志贺直哉　　D. 永井荷风

21. 日本的第一部文学作品是（　　）。

A.《古事记》　　B.《万叶集》

C.《源氏物语》　　D.《怀风藻》

22. 下列属于普列姆昌德处女作的是（　　）。

A.《戈多》　　B.《圣地的奥秘》

C.《新国的痛楚》　　D.《恩赐》

23. 亚洲第一个获得诺贝尔文学奖的作家是（　　）。

A. 川端康成　　B. 夏目漱石

C. 泰戈尔　　D. 普列姆昌德

24. 长篇叙事诗《金云翘传》是（　　）。

A. 日本古典名著　　B. 朝鲜古典名著

C. 越南古典名著　　D. 波斯古典名著

25. 普列姆昌德的代表作是长篇小说（　　）。

A.《誓言》　　B.《戈丹》

C.《如意树》　　D.《可番布》

26. 下列属于川端康成的成名作的是（　　）。

A.《千代》　B.《雪国》

C.《伊豆的舞女》　D.《舞女》

二、多项选择题（本大题共6小题，每小题2分，共12分。在每小题列出的五个备选项中至少有两个是符合题目要求的，请将其代码填写在题后的括号内。错选、多选、少选或未选均无分。）

27. 下列属于法国古典主义悲剧作家的有（　　）。

A. 莫里哀　B. 高乃依

C. 拉辛　D. 班扬

E. 弥尔顿

28. 下列属于法国启蒙运动领袖伏尔泰的哲理小说的有（　　）。

A.《查第格》　B.《老实人》

C.《天真汉》　D.《项狄传》

E.《感伤的旅行》

29. 莫泊桑的长篇小说包括（　　）。

A.《羊脂球》　B.《一生》

C.《漂亮朋友》　D.《项链》

E.《西蒙的爸爸》

30. 下列属于契诃夫的戏剧作品有（　　）。

A.《海鸥》　B.《万尼亚舅舅》

C.《三姐妹》　D.《樱桃园》

E.《姚内奇》

31. 高尔基的中篇小说包括（　　）。

A.《忏悔》　B.《母亲》

C.《夏天》　D.《克里姆·萨姆金的一生》

E.《福玛·高尔捷耶夫》

32. 萨特的存在主义小说主要有（　　）。

A.《恶心》　B.《墙》

C.《苍蝇》　D.《禁闭》

E.《自由之路》

第Ⅱ部分　非选择题（62 分）

三、名词解释题（本大题共 5 小题，每小题 4 分，共 20 分。）

33. “多余人”

34. 城市文学

35. 自然主义文学

36. 巴黎公社文学

37. “心灵辩证法”

四、简答题（本大题共 3 小题，每小题 6 分，共 18 分。）

38. 简述《神曲》的主题。

39. 简析《死魂灵》中泼留希金形象。

40. 简述海明威创作的“冰山原则”。

五、论述题（本大题共 2 小题，每小题 12 分，共 24 分。）

41. 结合作品论述《哈姆莱特》中的哈姆莱特形象。

42. 试述《等待戈多》的艺术成就。

全国高等教育自学考试
外国文学史模拟试卷（一）
参考答案

（课程代码　00540）

一、单项选择题（本大题共26小题，每小题1分，共26分。）

1. C	2. A	3. C	4. D	5. D	6. C	7. B
8. A	9. B	10. A	11. B	12. B	13. D	14. A
15. D	16. B	17. A	18. A	19. A	20. A	21. A
22. B	23. C	24. C	25. B	26. C		

二、多项选择题（本大题共6小题，每小题2分，共12分。）

27. BC　28. ABC　29. BC　30. ABCD　31. AC　32. ABE

三、名词解释题（本大题共5小题，每小题4分，共20分。）

33. 答："多余人"是19世纪俄国文学中贵族知识分子的一种典型。这类群体大多具有较高的文化修养，他们受启蒙思想的影响，厌倦上流社会的生活，渴望有所作为，他们的出现是社会意识觉醒的一种体现。但是这一类群体的形象往往以自我为中心，没有明确的生活目标，缺乏行动的能力和勇气，因此在社会上无所适从，其结局也往往是悲剧性的。

34. 答：城市文学也称市民文学，是从11世纪随着城市的出现和市民阶级的形成而产生的文学。它大多是民间创作，直接取材于现实，反映市民的审美情趣，强调"机智"和"乐观"。其主要体裁有韵文故事、讽刺叙事诗、抒情诗和市民戏剧。

35. 答：自然主义文学是指自然主义在思想上受到实证主义、遗传学说和生理学等哲学和科学的深刻影响。它强调真实，主张文学应完整地再现自然；强调客观性，要求作家消失在作品的背后，避免主观情感的流露，只需记录事实；突出科学性，认为文学创作就是对人的科学研究和科学实验，主张作家运用生理学、遗传学理论及其实验方法从事写作，描写也要达到一种科学式的精确。

36. 答：19 世纪 30 至 40 年代，欧洲出现了萌芽状态的无产阶级文学，如法国工人诗歌、英国宪章派文学、德国的革命诗歌等。这一时期成就最大的是巴黎公社文学，包括公社诞生前后约 20 年间公社社员的大量文学创作。它是巴黎公社革命的直接产物，是早期无产阶级文学的继续和发展。

37. 答："心灵辩证法"是车尔尼雪夫斯基对托尔斯泰早期自传小说的评价，他认为托尔斯泰最注重的是一些情感和思想怎样发展成别的情感和思想，最感兴趣的是心理过程本身。

四、简答题（本大题共 3 小题，每小题 6 分，共 18 分。）

38. 答：《神曲》的主题要从以下两方面理解。

第一，从字面意义上看，整部作品写的是"亡灵的遭遇"，即人死后在三界当中的情况。第二，如果从寓言意义上看，则"其主题是人"。但丁作为文化转型时期的代表，在他身上既不可避免地带有所谓的字面意义，即中世纪神学的烙印，又必然表现出其丰富的寓意，即人学特征。因此，《神曲》实际上是一部以神学宗教意识作为形式，而把人学内涵作为本质的作品，这本身就意味着新旧两个时代思想的交织共存与矛盾统一。

39. 答：乞乞科夫拜访的最后一个地主泼留希金，兼有吝啬鬼和守财奴的特点。他拥有成千农奴，家里财物堆积如山，却衣衫褴褛，吃粗劣饮食，过着乞丐般的生活。他贪财如命、六亲不认，已经完全蜕变为财物的奴隶。

40. 答：在《死在午后》这部作品中，海明威曾把文学创作比作冰山，他说："冰山在海里移动很是庄严宏伟，这是因为它只有八分之一露在水面上。"海明威的创作充分体现了简约、含蓄、凝练的"冰山原则"。他用语简洁、凝练，尽量避免描写，避免使用不必要的形容词，往往只是把人物的动作或简单的语言直接摆出来，只把"八分之一"露出来，让读者细细地品味这背后所蕴含的丰富的心理变化与思想感情，品味埋藏在底下的"八分之七"。

五、论述题（本大题共 2 小题，每小题 12 分，共 24 分。）

41. 答：悲剧主人公哈姆莱特的形象极好地诠释了作品的基本主题。哈姆莱特是一个处于理想与现实矛盾中的人文主义者的形象。他曾经是一个充满人文主义理想的青年王子。可是，严酷、丑恶的现实打破了他昔日的幻想，他的人文主义理想和信念破灭了。理想与现实的矛盾，造成他行为上的犹豫，这就是文学史上所说的"延宕的王子"。作为一个理想破灭的人文主义者，哈姆莱特在复仇行动上的犹豫，显示了他所代表的人文主义思想与封建势力之间力量的悬殊。因而他的复仇以及悲剧具有深刻的社会意义。

不仅如此，哈姆莱特还是一个深沉的思想家。哈姆莱特的延宕，实际上是欧洲文艺复兴晚期信仰失落时，人们进退两难的矛盾心理的象征性表述。哈姆莱特对人性的深沉思考，也成为近代以来欧洲文学关于人的问题思索的一个开端。

42. 答：《等待戈多》在艺术上对传统有不少突破。作者虽然找到了用"荒诞"这种艺术形式表达自己的深刻思想，但这部戏剧还是有着很强的喜剧潜能。由于这些喜剧的潜能缺乏情节的支持而不曾展开，观众的对于乐趣的期待虽然早早地被调动起来，却始终处于悬而未决的状态。

贝克特选择"悲喜剧"作为《等待戈多》的副标题，就是由于这里既有闹剧的成分，也有那些透露着人类生存处境信息的深深痛苦。他很看重这种压抑的意味，以及与这种压抑相关的各个细节。除了用对比的手法表现喜剧的潜能以外，戏剧还成功地运用了荒诞离奇、没有逻辑的语言。而那些莫名其妙的对白，则表达了人与人之间的难以沟通。

整部戏剧富有极强的象征意味，两个流浪汉在徒劳地等待戈多，心情的焦虑不安，"生活"的无聊沉闷，期望等待的总是延宕其到来，这一切都准确地概括了人类的生存状况，即世界的荒诞与人生的痛苦。剧作反映了现代西方人渴望改变自己的处境，但又难以实现的无可奈何的心理。

全国高等教育自学考试
外国文学史模拟试卷（二）

（课程代码　00540）

第Ⅰ部分　选择题（38分）

一、单项选择题（本大题共26小题，每小题1分，共26分。在每小题列出的四个备选项中只有一个是符合题目要求的，请将其代码填写在题后的括号内。错选、多选或未选均无分。）

1. 下列属于浪漫主义的哲学基础的是（　　）。

A. 德国古典哲学　　B. 德国古典经济学

C. 英国古典哲学　　D. 英国古典经济学

2. 弥尔顿在长诗《复乐园》中叙述的故事主要是（　　）。

A. 亚当、夏娃被撒旦诱惑　　B. 耶稣被撒旦诱惑

C. 亚当、夏娃不为撒旦所诱惑　　D. 耶稣不为撒旦所诱惑

3. 流传至今最完整的一部早期英雄史诗是（　　）。

A.《埃达》　　B.《贝奥武甫》

C.《萨迦》　　D.《熙德之歌》

4. 西班牙民族戏剧的奠基人指的是（　　）。

A. 斯宾塞　　B. 莫尔

C. 维加　　D. 李利

5. 城市文学的最高成就是（　　）。

A. 夜歌　　B. 牧歌

C. 怨歌　　D. 寓言讽刺叙事诗

6. 英国浪漫主义的宣言书指的是（　　）。

A.《<克伦威尔>序言》　　B.《拉辛与莎士比亚》

C.《拉奥孔》　　D.《抒情歌谣集·序》

7. 下列属于卢梭的自传体小说的是（　　）。

A.《新爱洛伊丝》　　B.《爱弥儿》

C.《忏悔录》　　D.《拉摩的侄儿》

8. 雨果浪漫主义小说的代表作是（　　）。

A.《海上劳工》　　B.《笑面人》

C.《九三年》　　D.《巴黎圣母院》

9. 古希腊戏剧起源于（　　）。

A. 酒神祭祀　　B. 祖先崇拜

C. 日神祭祀　　D. 英雄崇拜

10. 下列属于斯丹达尔的代表作的是（　　）。

A.《红与黑》　　B.《巴马修道院》

C.《阿尔芒斯》　　D.《自我主义者回忆》

11. 雨果现实主义文学的代表作是（　　）。

A.《九三年》　　B.《海上劳工》

C.《巴黎圣母院》　　D.《悲惨世界》

12. 下列属于被法朗士称为“短篇小说之王”的小说家的是（　　）。

A. 福楼拜　　B. 莫泊桑

C. 斯丹达尔　　D. 都德

13.《复活》中“忏悔贵族”的典型是（　　）。

A. 聂赫留朵夫　　B. 玛丝洛娃

C. 西蒙松　　D. 海尔茂

14. 下列属于狄更斯的近似自传体小说的是（　　）。

A.《大卫·科波菲尔》　　B.《小杜丽》

C.《奥立弗·退斯特》　　D.《董贝父子》

15. 19世纪后期现实主义文学成就最高的国家是（　　）。

A. 英国　　B. 法国

C. 俄国　　D. 美国

16. 下列属于未来主义诗人的是（　　）。

A. 马雅可夫斯基　　B. 邦达列夫

C. 贝科夫　　D. 巴克拉诺夫

17. 马克·吐温在《哈克贝利·费恩历险记》中塑造了一个追求自由的黑奴形象，他的名字是（　　）。

A. 汤姆　　B. 吉姆

C. 哈克　　D. 安娜

18. 长篇小说《西线无战事》的作者是（　　）。

A. 雷马克　　B. 赫尔曼·黑塞

C. 托马斯·曼　　D. 布莱希特

19. 下列属于高尔基的第一篇短篇小说的是（　　）。

A.《海燕》　　B.《马卡尔·楚德拉》

C.《敌人》　　D.《母亲》

20. 肖洛霍夫的处女作是（　　）。

A.《静静的顿河》　　B.《被开垦的处女地》

C.《胎记》　　D.《看瓜田的人》

21. 贝克特的戏剧代表作是（　　）。

A.《马龙之死》　　B.《莫洛伊》

C.《瓦特》　　D.《等待戈多》

22. 加缪的成名作是中篇小说（　　）。

A.《局外人》　　B.《鼠疫》

C.《海浪》　　D.《到灯塔去》

23. 下列刊物中，（　　）的创刊是日本无产阶级文学诞生的标志。

A.《文艺时代》　　B.《文艺战线》

C.《播种人》　　D.《文艺副刊》

24. 下列属于紫式部代表作的是（　　）。

A.《紫式部日记》　　B.《紫式部集》

C.《枕草子》　　D.《源氏物语》

25. 下列属于塞内加尔小说家乌斯曼成名作的是（　　）。

A.《黑人码头工》　　B.《神的儿女》

C.《祖国，我可爱的人民》　　D.《汇票》

26. 阿拉伯文学史上第一部成文的散文巨著是（　　）。

A.《玛卡梅韵文故事》　　B.《一千零一夜》

C.《卡里莱和笛木乃》　　D.《古兰经》

二、多项选择题（本大题共6小题，每小题2分，共12分。在每小题列出的五个备选项中至少有两个是符合题目要求的，请将其代码填写在题后的括号内。错选、多选、少选或未选均无分。）

27. 骑士文学可以分为（　　）。

A. 骑士抒情诗　　B. 骑士叙事诗

C. 骑士书信集　　D. 骑士小说

E. 骑士对话集

28. 下列属于文艺复兴时期英国的作品的有（　　）。

A.《巨人传》　　B.《坎特伯雷故事集》

C.《一报还一报》　　D.《乌托邦》

E.《羊泉村》

29. 狄德罗的哲理小说有（　　）。

A.《一家之主》　　B.《私生子》

C.《修女》　　D.《拉摩的侄儿》

E.《宿命论者雅克和他的主人》

30. 下列属于乔治·桑的小说的有（　　）。

A.《三剑客》　　B.《康素埃洛》

C.《安吉堡的磨工》　　D.《弃儿法朗莎》

E.《小法岱特》

31. 下列属于美国“迷惘的一代”的作家有（　　）。

A. 雷马克　　B. 海明威

C. 菲茨杰拉德　　D. 杰克·伦敦

E. 德莱塞

32.《旧约》中的先知书包括（　　）。

A.《士师记》　　B.《创世记》

C.《以赛亚书》　　D.《耶利米书》

E.《以西结书》

第Ⅱ部分　非选择题（62 分）

三、名词解释题（本大题共 5 小题，每小题 4 分，共 20 分。）

33. 流浪汉小说

34. 唯美派

35. 意识流小说

36. 湖畔派

37. 拜伦式英雄

四、简答题（本大题共3小题，每小题6分，共18分。）

38. 简析《叶甫盖尼·奥涅金》中的奥涅金形象。

39. 简述《玩偶之家》的思想意义。

40. 简述《蔷薇园》的人道主义思想。

五、论述题（本大题共 2 小题，每小题 12 分，共 24 分。）

41. 试述《哈姆莱特》的艺术成就。

42. 试述果戈理的创作特点。

全国高等教育自学考试
外国文学史模拟试卷（二）
参考答案

（课程代码　00540）

一、单项选择题（本大题共 26 小题，每小题 1 分，共 26 分。）

1. A	2. D	3. B	4. C	5. D	6. D	7. C
8. D	9. A	10. A	11. D	12. B	13. A	14. A
15. C	16. A	17. B	18. A	19. B	20. C	21. D
22. A	23. C	24. D	25. C	26. D		

二、多项选择题（本大题共 6 小题，每小题 2 分，共 12 分。）

27. AB　28. BCD　29. CDE　30. BCDE　31. BC　32. CDE

三、名词解释题（本大题共 5 小题，每小题 4 分，共 20 分。）

33. 答：流浪汉小说是欧洲近代小说的一种模式。它基本上取材于现实生活，特别是城市平民生活；主人公大多为无业游民，作品在描写他们不幸命运的同时，也描写了其为生活所迫而进行的欺骗、偷盗和各种恶作剧，从而表现出不幸者的消极反抗情绪；在谋篇布局上，以主人公活动为线索，按主人公活动的轨迹，通过主人公的亲身经历和所见所闻来安排各种生活场景。

34. 答：唯美派是日本 20 世纪与自然主义对立的文学派别，受欧洲唯美主义文学影响，日本出现了唯美主义思潮，他们以杂志《昴星》的创作为标志，主张艺术至上，追求文学技巧的完美，重视个人感觉，表现在官能享受中的快乐和精神满足。唯美派的代表作家是永井荷风和谷崎润一郎等。

35. 答：意识流小说始于20世纪20至40年代初，在英国形成并流行于欧美各国。意识流作家不把模仿再现外部世界和客观事物作为小说创作的主要内容，而把表现人的心理真实和意识的流动作为文学创作的主要任务。意识流小说主张“作家退出小说”，以“心理时间”表现人物的思想意识活动和主观感受。在具体创作手法上，意识流小说大量采用自由联想、内心独白、时序倒置等手法，表现人物多层次的意识活动。

36. 答：英国浪漫主义文学有两组代表人物，首先开创浪漫主义潮流的是“湖畔派”三诗人，包括华兹华斯、柯勒律治和骚塞。他们厌恶资本主义文明和冷酷的金钱关系，远离都市，隐居在英国西北部的昆布兰湖区和格拉斯米尔湖区，写了很多缅怀中世纪和赞美宗法制农村生活、赞美湖区风光的诗作，故被称为“湖畔派”。

37. 答：《东方叙事诗》是拜伦在1813—1816年创作的以东方故事为题材的富有浪漫主义色彩的一组传奇诗，包括《异教徒》《阿比道斯的新娘》《海盗》《莱拉》《柯林斯的围攻》《巴里・西娜》等。在这些诗篇中，诗人集中塑造了一系列“拜伦式英雄”的形象。他们的共同特征是高傲、孤独、倔强，个性独特，蔑视文明，反抗现存社会制度，敢于同罪恶社会进行毫不妥协的斗争。

四、简答题（本大题共3小题，每小题6分，共18分。）

38. 答：奥涅金是俄国文学史上第一个“多余人”的形象。他是19世纪20年代俄国贵族青年中的佼佼者。西欧进步文化思想的影响使他看清自己原来所沉醉、所迷恋的贵族社会的灯红酒绿的生活毫无意义和价值，悔恨自己白白地蹉跎了大好年华。他烦闷、痛苦，对贵族社会的庸俗、空虚感到不满，与周围格格不入。他想认真读书、从事写作，但又要搞农事改革，这一切说明奥涅金在精神上远远高于那些贵族社会中的庸人，奥涅金是开始觉醒的贵族青年一代的典型。但是，奥涅金并没有完全摆脱贵族阶级传统道德的影响，他对社会的厌恶只能停留在精神上和思想上。长期的贵族生活，使他远离人民，更不关心人民，还缺少对抗习惯势力的勇气。对生活缺乏真实感，不了解自己，不了解别人，不了解自己身处的环境，找不到自己在生活中的位置，性格极其复杂和矛盾。

39. 答：《玩偶之家》是一部典型的“社会问题剧”。易卜生在剧中提出了许多敏感且迫切需要解决的社会问题。首先，妇女在家庭中的地位问题；其次，拥有特权的资产阶级社会上层男性自私、虚伪的问题；最后，女性如何争取平等权利的问题。

40. 答：《蔷薇园》最激动人心的力量就是那种宏深的人道主义思想。出于对下层人民的深切同情，诗人讴歌了他们自食其力的优秀品德，出于忧国忧民的考虑，他还一再告诫统治者要仁慈，不可残暴地欺压和剥削人民，并大胆揭露宗教上层人士的虚伪和欺骗人民的伎俩。当然我们也不能回避作品中流露出的诗人思想中的矛盾。他同情广大民众的呐喊是对统治者的警告，强调人民的力量是希望统治者能正视政权的基础。一位中世纪的作家能够有如此正确而进步的认识，是难能可贵的。

五、论述题（本大题共 2 小题，每小题 12 分，共 24 分。）

41. 答：在艺术上，《哈姆莱特》代表了莎士比亚在戏剧中的最高成就。

首先，在结构方面，《哈姆莱特》突出地表现了莎士比亚戏剧情节生动性和丰富性的特点。其次，在人物塑造方面，《哈姆莱特》着重通过对内心矛盾冲突的描写揭示人物的内在性格。最后，为了使人物形象达到丰富性和个性化的有机结合，莎士比亚还成功地把对比手法用于人物塑造。在语言上，莎士比亚表现出大师的风范。他将无韵诗体与散文、有韵的诗句、抒情歌谣等融为一体，使其剧作的语言丰富多样、生动传神，它们不仅构成了莎士比亚戏剧艺术大厦的基石，更加强了英语语言的表现力。

42. 答：果戈理的创作，继承并发展了由普希金开创的现实主义传统，经历了从浪漫主义到现实主义的艰苦历程，形成了自己的创作特色和艺术风格。具体表现为以下四点。

第一，果戈理反对美化自然，用“不倦的雕刀”，深入解剖生活，把农奴制下的种种黑暗现状，淋漓尽致地揭露出来。第二，果戈理从人道主义思想出发描写底层人民，深切同情备受欺凌的小人物的悲惨遭遇，代表下层人民向黑暗社会提出愤怒的抗议，对农奴制度、专制政权给予无情鞭笞。第三，果戈理善于发掘生活中的可笑而又可悲的因素进行夸张，并加以讽刺和无情揭露。一切看似怪诞，令人捧腹大笑，但在“笑”的背后，蕴藏着深切的悲痛，这就是“含泪的笑”。第四，果戈理善于驾驭语言，突出人物个性。果戈理总是能够运用丰富多彩的语言，生动地刻画出身份不同、性格各异的形象。

全国高等教育自学考试
外国文学史模拟试卷（三）

（课程代码　00540）

第Ⅰ部分　选择题（38分）

一、单项选择题（本大题共26小题，每小题1分，共26分。在每小题列出的四个备选项中只有一个是符合题目要求的，请将其代码填写在题后的括号内。错选、多选或未选均无分。）

1. 菲尔丁的代表作是长篇小说（　　）。

A.《老实人》　　B.《帕美勒，或美德有报》

C.《弃儿汤姆·琼斯的故事》　　D.《感伤的旅行》

2.《美狄亚》的作者是（　　）。

A. 埃斯库罗斯　　B. 欧里庇得斯

C. 阿普列尤斯　　D. 索福克勒斯

3. 被誉为“人文主义之父”的是（　　）。

A. 彼特拉克　　B. 屈莱顿

C. 斯宾塞　　D. 莎士比亚

4. 但丁用意大利语写成的作品有（　　）。

A.《神曲》　　B.《歌集》

C.《帝制论》　　D.《论俗语》

5. 下列属于莎士比亚的历史剧代表作的是（　　）。

A.《亨利四世》 B.《亨利八世》

C.《麦克白》 D.《李尔王》

6. 在罗马文学中，爱神的名字是（　　）。

A. 维纳斯 B. 雅典娜

C. 阿佛洛狄忒 D. 阿耳忒弥斯

7. 巴赫金认为创造了“复调小说”的作家是（　　）。

A. 福楼拜 B. 拉伯雷

C. 大仲马 D. 陀思妥耶夫斯基

8. 成功地塑造了绿林好汉罗宾汉形象的小说是（　　）。

A.《清教徒》 B.《罗伯·罗埃》

C.《罗沁中区的心脏》 D.《艾凡赫》

9. 莱蒙托夫的代表作是长篇小说（　　）。

A.《罗亭》 B.《父与子》

C.《处女地》 D.《当代英雄》

10. 意识流小说《墙上的斑点》的作者是（　　）。

A. 乔伊斯 B. 福克纳

C. 沃尔夫 D. 普鲁斯特

11. 威廉·戈尔丁的代表作是典型的“荒岛小说”（　　）。

A.《珊瑚岛》 B.《虹》

C.《恋爱中的女人》 D.《蝇王》

12. 被称为“现代戏剧之父”的作家是（　　）。

A. 易卜生 B. 莫里哀

C. 小仲马 D. 萧伯纳

13. 下列属于“海德堡”派的作品的是（　　）。

A.《儿童的奇异号角》 B.《论浪漫派》

C.《西里西亚纺织工人》 D.《德国—— 一个冬天的童话》

14. 讽刺小说《格列佛游记》的作者是（　　）。

A. 笛福 B. 菲尔丁

C. 理查逊 D. 斯威夫特

15. 被称为“美国的莫泊桑”的著名作家是（　　）。

A. 左拉 B. 杰克·伦敦

C. 契诃夫　　D. 欧·亨利

16. 被尊称为“现代文学之父”的是（　　）。

A. 乔伊斯　　B. 艾略特

C. 卡夫卡　　D. 马尔克斯

17. 福楼拜的代表作是（　　）。

A.《情感教育》　　B.《萨朗波》

C.《圣安东的诱惑》　　D.《包法利夫人》

18. 越南中古文学的最高成就是字喃长篇叙事诗（　　）。

A.《金云翘传》　　B.《沈清传》

C.《春香传》　　D.《九云梦》

19. 下列属于高尔基的自传体三部曲之一的是（　　）。

A.《海燕》　　B.《我的大学》

C.《鹰之歌》　　D.《母亲》

20. 古埃及流传下来的最早的一篇故事是（　　）。

A.《魔术师的故事》　　B.《亡灵书》

C.《遭难的水手》　　D.《乡民与雇主》

21. 日本的第一部和歌总集是（　　）。

A.《怀风藻》　　B.《万叶集》

C.《平家物语》　　D.《竹取物语》

22.《百年孤独》是（　　）的代表作。

A. 贝克特　　B. 阿尔比

C. 热奈　　D. 马尔克斯

23. 波斯文学史上被称为“诗歌之父”的是（　　）。

A. 菲尔多西　　B. 鲁达基

C. 哈菲兹　　D. 萨迪

24.《戈丹》的作者是（　　）。

A. 塔哈·侯赛因　　B. 纪伯伦

C. 普列姆昌德　　D. 小林多喜二

25. 纪伯伦的代表作是（　　）。

A.《先知》　　B.《瓦解》

C.《动荡》　　D.《神箭》

26. 海明威的第一部长篇小说是（　　）。

A.《永别了，武器》　　B.《太阳照常升起》

C.《老人与海》　　D.《丧钟为谁而鸣》

二、多项选择题（本大题共6小题，每小题2分，共12分。在每小题列出的五个备选项中至少有两个是符合题目要求的，请将其代码填写在题后的括号内。错选、多选、少选或未选均无分。）

27. 莎士比亚的四大悲剧包括（　　）。

A.《雅典的泰门》　　B.《哈姆莱特》

C.《奥赛罗》　　D.《李尔王》

E.《麦克白》

28. 下列属于但丁的作品有（　　）。

A.《神曲》　　B.《论俗语》

C.《新生》　　D.《歌集》

E.《无事生非》

29. 亨利希·曼的揭露批判帝国主义的“帝国三部曲”是（　　）。

A.《恰特莱夫人的情人》　　B.《臣仆》

C.《穷人》　　D.《魔山》

E.《首脑》

30. 英国意识流作家沃尔夫的作品主要有（　　）。

A.《荒原》　　B.《墙上的斑点》

C.《达罗卫夫人》　　D.《到灯塔去》

E.《娜佳》

31. 古印度著名的史诗有（　　）。

A.《仙赐传》　　B.《摩诃婆罗多》

C.《十公子传》　　D.《罗摩衍那》

E.《迦丹波利》

32.《我是猫》中的艺术形象有（　　）。

A. 苦沙弥　　B. 迷亭

C. 寒月　　D. 东风

E. 金田

第Ⅱ部分　非选择题（62 分）

三、名词解释题（本大题共 5 小题，每小题 4 分，共 20 分。）

33.《欧那尼》“决战”

34. 柔巴依

35. “人物再现法”

36. 陌生化效果

37. 《万叶集》

四、简答题（本大题共 3 小题，每小题 6 分，共 18 分。）

38. 简述《吝啬鬼》中的阿巴贡形象。

39. 简述斯丹达尔的心理描写的特点。

40. 简述《约翰·克利斯朵夫》的思想内容。

五、论述题（本大题共2小题，每小题12分，共24分。）

41. 试述《唐璜》的艺术成就。

42. 试述《百年孤独》的艺术特色。

全国高等教育自学考试
外国文学史模拟试卷（三）
参考答案

（课程代码　00540）

一、单项选择题（本大题共26小题，每小题1分，共26分。）

1. C	2. B	3. A	4. A	5. A	6. A.	7. D
8. D	9. D	10. C	11. D	12. A	13. A	14. D
15. D	16. C	17. D	18. A	19. B	20. A	21. B
22. D	23. B	24. C	25. A	26. B		

二、多项选择题（本大题共6小题，每小题2分，共12分。）

27. BCDE	28. ABC	29. BCE	30. BCD	31. BD	32. ABCDE

三、名词解释题（本大题共5小题，每小题4分，共20分。）

33. 答:《欧那尼》“决战”是指完全打破了“三一律”的限制，地点随意变换，大量采用奇情剧的手法，充满浪漫的奇异构想。围绕它的上演引起了浪漫主义与古典主义阵营之间的一场决战。它的上演成功，标志着浪漫主义彻底战胜了古典主义。

34. 答：柔巴依是一种四行诗，是伊朗的传统诗体，音译为“柔巴依”，伊朗这种传统的诗歌形式与中国的绝句很相似，形式短小，便于抒情。

35. 答：“人物再现法”是巴尔扎克在《人间喜剧》中独创的一种塑造人物形象的手法，即同一人物在不同的作品中反复出现，以表现他们的性格发展和不同生活阶段，并使多部作品联结成一个艺术整体。

36. 答：陌生化效果是指布莱希特创造了一种被称为“间离效果”（陌生化）的艺术方法，有意识地在角色、演员和观众之间制造感情上的距离。

一方面，要求演员与角色保持一定的距离，不要融进角色之中，而要高于角色、驾驭角色、表演角色。

另一方面，通过舞台布置和演员表演，在观众与剧情之间制造适当距离，使观众用探讨、批判的态度看剧情，激发他们改变现实的愿望。

37. 答：《万叶集》是日本的第一部和歌总集。为了与汉诗相区别，日本人将用大和文写的诗歌称为和歌。代表诗人有山上忆良等。

四、简答题（本大题共3小题，每小题6分，共18分。）

38. 答：剧中主人公阿巴贡是一个典型的吝啬鬼形象，全部情节都围绕着他的吝啬展开。

首先，阿巴贡所有言行都围绕着金钱进行。他只崇拜金钱，对封建门第、名誉、爱情和亲情都一律轻视。其次，阿巴贡吝啬的特点表现了资本原始积累时期资产者的特征。他把搜刮来的钱埋藏起来装穷，以掩饰自己的富有。最后，他的吝啬与其贪得无厌地掠夺占有财富的冲动密不可分。他想方设法以高利放债，手段狡猾而毒辣。

阿巴贡具有资本主义发展初期资产者的敛财方式和活动特点，是欧洲文学史上著名的吝啬鬼形象，他的名字已经成为吝啬鬼的代名词。

39. 答：斯丹达尔的心理描写是激动的心灵和外表的冷漠，内在抒情和外在“生硬”的统一。这种手法，既是作者“自爱”的表现，也是理性的思维方式，是一种通过认识自己从而认识他人乃至“整个人类心灵”的独特艺术手法。他在《阿尔芒斯》中，出色地运用了“内心独白”，不仅展现了奥克塔夫奇特的内心痛苦，还以曲折入微的手法，刻画了阿尔芒斯纯洁心灵的复杂变化。《红与黑》《巴马修道院》等作品中对于连、德·瑞那夫人、法布利斯等人物的爱情描写，更是入木三分、动人心弦。他笔下人物的激情，基本上是一种分析性的心理描写，但又有某些现代的因素，正是这一杰出的心理描写，他被称为“近代小说之父”。

40. 答：《约翰·克利斯朵夫》的思想蕴涵十分丰富。它通过平民音乐家克利斯朵夫一生反抗、失败、妥协的经历和遭遇，反映了德、法等国资本主义高度发展时期尖锐复杂的社会矛盾，揭露了资本主义社会的黑暗现实，尤其是抨击了依附金钱与权势的艺术而导致的虚伪与堕落，借英雄人物奋斗、反抗、失败的个人悲剧，说明在当时的情况下，以个人主义、人道主义、理想主义为思想武器反抗现实是不可能的。但小说仍满腔热情地号召广大人民团结起来，为争取人类的光明前途而奋斗。

五、论述题（本大题共2小题，每小题12分，共24分。）

41. 答：首先，在艺术上，《唐璜》最突出的特点是辛辣的讽刺。长诗中使用了夸张、变形、对比、反语、谐谑等手法，针对主人公活动的18世纪末至19世纪初的“各国社会的可笑方面”，展示其辛辣的讽刺艺术特点。

其次，作品富于浪漫传奇色彩。离奇的故事、异域的情调与层出不穷的戏剧性场面所营造的传奇性氛围，使得诗人对现实的描绘充满了浓郁的浪漫传奇色彩。

再次，诗作具有浓烈的抒情性。优美而略带感伤的抒情性，无处不在、统贯全篇。有的含蓄；有的奔放；有的“水到渠成”、和谐自然；有的如高山飞瀑，可独立成篇。此外，《唐璜》采用了夹叙夹议的表现手法，即在第三人称的叙述中插入第一人称的谈话。

最后，《唐璜》还在格律、诗歌语言等方面进行创新，它是英国诗歌史上运用口语体取得最高成就的诗篇。

42. 答：魔幻现实主义是这篇小说的主要艺术特色。神奇的细节、离奇的叙述所达到的效果是把现实里的“现实因素”放大，以一种魔幻的方式突出了现实本身。一方面，作品中处处都有富于魔幻色彩的内容，其中最生动的有梅尔加德斯幽灵的不断出现，雷贝卡的到来导致了马孔多长达数月的失眠，俏姑娘雷麦黛斯裹着床单升天，广场屠杀以后那长达四年十一个月零两天的大雨，等等。另一方面，这些高超的写作技巧并非纯粹为技巧而技巧，而总是含有一种现实的关怀，始终把现实与历史纳入进来。马孔多人从原始进入文明，气愤地参加内战，承受资本主义残酷掠夺的压迫（尤其是香蕉园的开发），遭遇无情的屠杀，这些都是拉丁美洲历史进程的写照。

此外，象征和暗示手法的大量运用，使这部小说的寓意更加深刻。比如，俏姑娘雷麦黛斯象征着美，她的升天象征了美的消失；带猪尾巴的孩子象征生活现实中的某些畸形事物等。小说中关于健忘症的描写最具象征意义。马孔多全村人集体患上了健忘症，忘记了一切，连桌子、床、奶牛等最常见的和最熟悉的东西都叫不出名字来，这暗示了以马孔多人为代表的现代人，忘记了赖以生存的文化和传统。马尔克斯通过关于布恩蒂亚家庭的黑色寓言故事，以语言游戏的方式把拉丁美洲的历史放进马孔多这个小镇里，讲述了拉丁美洲对自由、民主与富强的渴望以及孜孜不倦的追求。

全国高等教育自学考试
外国文学史模拟试卷（四）

（课程代码　00540）

第Ⅰ部分　选择题（38分）

一、单项选择题（本大题共26小题，每小题1分，共26分。在每小题列出的四个备选项中只有一个是符合题目要求的，请将其代码填写在题后的括号内。错选、多选或未选均无分。）

1. 下列属于莎士比亚的作品的是（　　）。

A.《两兄弟》　　B.《婆母》

C.《一报还一报》　　D.《诗学》

2. 流浪汉小说的代表作是（　　）。

A.《小癞子》　　B.《草原上的狗》

C.《乌托邦》　　D.《汤姆·琼斯》

3. 哲学的日历中最高尚的圣者和殉道者是（　　）。

A. 普罗米修斯　　B. 俄狄浦斯

C. 伊阿宋　　D. 宙斯

4. 莫里哀取材于罗马喜剧家普劳图斯《一坛黄金》的剧作是（　　）。

A.《吝啬鬼》　　B.《唐璜》

C.《恨世者》　　D.《妇人学堂》

5. 莫里哀表现民主主义倾向的著名喜剧是（　　）。

A.《伪君子》 B.《史嘉本的诡计》

C.《无病呻吟》 D.《吝啬鬼》

6. 文学史上第一个忧郁的“世纪病”形象指的是（　　）。

A. 勒内 B. 毕巧林

C. 维林 D. 奥涅金

7. 席勒在（　　）中首次提出并区分了现实主义与浪漫主义两种基本创作方法。

A.《审美教育书简》 B.《论素朴的诗与感伤的诗》

C.《强盗》 D.《阴谋与爱情》

8. 莱蒙托夫的《当代英雄》中刻画了俄国文学史上第二个“多余人”形象是（　　）。

A. 奥涅金 B. 毕巧林

C. 维林 D. 勒内

9. 但丁将《新生》献给了他钟爱的少女，这个少女是（　　）。

A. 贝雅特丽齐 B. 绿蒂

C. 劳拉 D. 玛加蕾特

10. 陀思妥耶夫斯基在《卡拉马佐夫兄弟》中刻画了一个冷静的无神论者，这个人物是（　　）。

A. 德米特里 B. 伊凡

C. 阿辽沙 D. 斯麦尔佳科夫

11. 冈察洛夫的代表作是（　　）。

A.《罗亭》 B.《奥勃洛摩夫》

C.《怎么办》 D.《父与子》

12. 俄国“自然派”的创始者是（　　）。

A. 别林斯基 B. 果戈理

C. 茹科夫斯基 D. 屠格涅夫

13. 陀思妥耶夫斯基的第一部作品是（　　）。

A.《罪与罚》 B.《同貌人》

C.《穷人》 D.《死屋手记》

14. 下列作家中，（　　）的作品被称为“威塞克斯小说”。

A. 哈代 B. 托尔斯泰

C. 马克·吐温　　D. 易卜生

15. 左拉创作的包括20部长篇小说的社会史诗性作品是（　　）。

A.《黛蕾丝·拉甘》　　B.《卢贡—马卡尔家族》

C.《小酒店》　　D.《萌芽》

16. 马克·吐温的最有代表性的长篇小说是（　　）。

A.《哈克贝利·费恩历险记》　　B.《汤姆·索亚历险记》

C.《败坏了赫德莱堡的人》　　D.《百万英镑》

17. 劳伦斯的成名作是（　　）。

A.《儿子与情人》　　B.《恰特莱夫人的情人》

C.《寻欢作乐》　　D.《刀锋》

18. 法国著名小说家安德烈·纪德的代表作是（　　）。

A.《约翰·克利斯朵夫》　　B.《蒂博一家》

C.《田园交响曲》　　D.《王家大道》

19.《秃头歌女》的作者尤奈斯库是（　　）。

A. 新小说派作家　　B. 荒诞派剧作家

C. 意识流小说家　　D. 黑色幽默作家

20. 最早将《水浒传》翻译成英文在西方出版的作家是（　　）。

A. 刘易斯　　B. 赛珍珠

C. 塞林格　　D. 帕索斯

21. 波斯文学作品中，有“东方的《罗密欧与朱丽叶》”之称的是（　　）。

A.《蕾莉与马杰农》　　B.《果园》

C.《蔷薇园》　　D.《七美人》

22. “黑色幽默”是20世纪60年代风行于（　　）的一个现代主义小说流派。

A. 意大利　　B. 德国

C. 美国　　D. 英国

23. 获得诺贝尔文学奖的尼日利亚作家是（　　）。

A. 桑戈尔　　B. 戈迪默

C. 阿契贝　　D. 索因卡

24.《旧约》中文学性最强的一部是（　　）。

A.《创世记》　　B.《出埃及记》

C.《利未记》　　D.《民数记》

25. 以英雄史诗为核心的长诗是（　　）。

A.《庄稼人的歌谣》　　B.《打谷人的歌谣》

C.《撒谷人的歌谣》　　D.《罗摩衍那》

26. 豆扇陀出自作品（　　）。

A.《沙恭达罗》　　B.《亡灵书》

C.《遭难的水手》　　D.《乡民与雇主》

二、多项选择题（本大题共 6 小题，每小题 2 分，共 12 分。在每小题列出的五个备选项中至少有两个是符合题目要求的，请将其代码填写在题后的括号内。错选、多选、少选或未选均无分。）

27. 莱辛市民悲剧的代表作包括（　　）。

A.《智者纳坦》　　B.《爱米丽亚・伽洛提》

C.《爱弥儿》　　D.《忏悔录》

E.《新爱洛伊丝》

28. 雨果的主要小说有（　　）。

A.《悲惨世界》　　B.《海上劳工》

C.《秋叶集》　　D.《光与影》

E.《笑面人》

29. 欧・亨利的短篇小说有（　　）。

A.《麦琪的礼物》　　B.《小公务员之死》

C.《最后一片藤叶》　　D.《绿荫下》

E.《还乡》

30. 高尔基的自传体三部曲包括（　　）。

A.《童年》　　B.《在人间》

C.《少年》　　D.《青年》

E.《我的大学》

31. 存在主义文学的代表作家有（　　）。

A. 萨特　　B. 加缪

C. 波伏娃　　D. 梅特林克

E. 品特

32. 泰戈尔著名的抒情诗集有（　　）。

A.《新月集》　　B.《吉檀迦利》

C.《园丁集》　　D.《飞鸟集》

E.《摩克多塔拉》

第Ⅱ部分　非选择题（62 分）

三、名词解释题（本大题共 5 小题，每小题 4 分，共 20 分。）

33. 巴洛克文学

34. 古典主义

35. 新思潮派

36. 战壕真实派

37. 新感觉派

四、简答题（本大题共 3 小题，每小题 6 分，共 18 分。）

38. 简述《悲惨世界》的思想主题。

39. 简析《复活》中的聂赫留朵夫形象。

40. 简述《变形记》的异化主题。

五、论述题（本大题共 2 小题，每小题 12 分，共 24 分。）

41. 试述古希腊文学的特征。

42. 试析《戈拉》中戈拉的形象及其意义。

全国高等教育自学考试
外国文学史模拟试卷（四）
参考答案

（课程代码　00540）

一、单项选择题（本大题共26小题，每小题1分，共26分。）

1. C	2. A	3. A	4. A	5. B	6. A	7. B
8. B	9. A	10. B	11. B	12. B	13. C	14. A
15. B	16. A	17. A	18. C	19. B	20. B	21. A
22. C	23. D	24. A	25. D	26. A		

二、多项选择题（本大题共6小题，每小题2分，共12分。）

27. AB　　28. ABE　　29. AC　　30. ABE　　31. ABC　　32. ABCD

三、名词解释题（本大题共5小题，每小题4分，共20分。）

33. 答：巴洛克用来形容首先出现在意大利的一种崇尚装饰与雕琢的建筑。这种风格在当时一些国家的文学创作中也有所体现，于是，人们就移用了这个概念指称这种风格的文学创作。这种创作在内容上偏重表现宗教狂热、对尘世的绝望，情绪为夸张的悲观和颓丧，用词华丽，堆叠辞藻，作品结构常常框架宏阔，叙述风格扑朔迷离。

34. 答：古典主义因崇奉古希腊、罗马文学而得名。它是法国封建王权和资产阶级相妥协的产物，以笛卡儿的唯理主义哲学为基础，强调理性原则，认为在文学创作中应该遵循理性。作品多从古希腊罗马神话、历史和传说中选取创作素材，突出体现规范、严整、简练、明晰、崇尚理性的特征，最有代表性的就是戏剧创作中的“三一律”原则。

35. 答：新思潮派也称新现实主义，它是由文坛上的第三次、第四次《新思潮》杂志的同人所组成，代表作家是芥川龙之介和菊池宽等。他们否定自然主义纯写实的方法，也不追随白桦派的理想主义，更不在作品中像唯美主义作家那样表现颓废的美。他们关注现实，注重对平凡人日常生活和复杂心理的描写，并进行一定的批评和理性的解释。

36. 答：战壕真实派是20世纪50年代中期诞生于苏联的一个文学流派。作家根据自己的切身体验描绘普通士兵和下级军官们在战场上的遭遇和真实感受，尽力突出战壕真实。该派的代表作家有邦达列夫等。

37. 答：新感觉派是日本现代文坛上的一个文学流派。其创作在相当程度上接受了西方现代主义文学的影响，企图以新感觉、新认识、新表现来革新文学。代表作家有横光利一、川端康成等。

四、简答题（本大题共3小题，每小题6分，共18分。）

38. 答：首先，小说从人道主义出发，对劳动人民的苦难命运表示关注和同情。其次，小说对资本主义社会的法律进行了猛烈批判。再次，小说对共和主义英雄和巴黎人民起义进行热情赞颂。最后，小说还宣扬了作者企图以仁爱感化和开办慈善事业解决社会矛盾的人道主义理想。

39. 答：聂赫留朵夫是一个“忏悔贵族”的典型。他青年时期单纯善良，勇于追求真挚的爱情。但是贵族家庭养成了他的种种恶习，贵族社会和沙俄军队放荡腐败的生活风气使他堕落为自私自利者。他诱奸了玛丝洛娃，随后又抛弃了她。10年后，当他在法庭上看到玛丝洛娃时，意识到自己是造成她堕落和不幸的罪魁祸首。他决心向玛丝洛娃赎罪。上诉失败后，他放弃财产和贵族生活随玛丝洛娃去西伯利亚。作者认为聂赫留朵夫最终获得了精神上的“复活”。他的“复活”是“精神的人”的胜利，这一形象集中体现了托尔斯泰主义的“勿以暴力抗恶”和“道德自我完善”的思想。

40. 答：小说通过主人公变成甲虫的荒诞故事，对资本主义社会中人的“异化”现象做出深刻揭示。资本主义社会中，人的异化是与资本主义生产方式并存的普遍现象。卡夫卡曾说：“不断运动的生活纽带把我们拖向某个地方，至于拖向哪里，我们自己是不得而知的。我们就像物品，物件，而不像活人。”《变形记》

中的旅行推销员格里高尔一觉醒来，发现自己变成了一只甲虫，看似荒诞不经，实际上却揭示了资本主义社会生活的真实本质，即外在的物的世界和异己的环境对人的挤压，如何使人失去自我、沦为“非人”。

五、论述题（本大题共2小题，每小题12分，共24分。）

41. 答：（1）古希腊文学有着鲜明的人本色彩和命运观念。

古希腊人尽情地展示着人类童年的自然天性，一切都是世俗的、活生生的，绝无宗教恐怖的压抑和彼岸天国的诱惑。古希腊人的命运观念很快就随着他们对外在自然和内在自我的认识与把握而淡薄，没有积淀成沉重的民族包袱。

（2）现实主义与浪漫主义并存。

古希腊文学的众多篇章程度不同地从不同侧面反映了当时的社会生活，为后人提供了第一手资料；也有相当一部分作品充满了神奇的想象、怪诞的夸张和优美的抒情，表现出浓厚的浪漫色彩。

（3）种类繁多，且具有开创性。

古希腊文学种类齐全，具备了后世几乎所有的文学样式。除神话、史诗外，还有悲剧、喜剧、寓言、故事、教谕诗、抒情诗、散文、小说等。

42. 答：整部作品的中心人物戈拉是泰戈尔塑造的一个印度资产阶级民族主义者和爱国主义者的典型。作为一位激烈的爱国知识分子，他有强烈的爱国之心和民族壮志。他生活的唯一目标就是要解放祖国。他的一生，宁死不屈、正直不阿，曾三次面对面地和英国殖民者进行斗争，并被捕入狱，但他绝不向英国殖民者低头。

戈拉的性格是矛盾的。他持有宗教偏见，错误地认为造成印度一切灾难的根源是人民群众的愚昧无知，是由于知识分子脱离了群众和忘记了印度的光荣历史。因此，他坚信当前的首要任务是唤醒人民，使他们相信自己的力量，重拾对祖国的信仰、尊敬和热爱。然而，在践行这一信念的过程中，他却为印度教的一切传统，包括种姓制度、偶像崇拜、妇女无权等落后传统辩护，并身体力行地严格遵守印度教的教规。他试图通过复归传统种族观念和教规来振兴国家民族的做法是行不通的。这不仅造成他自己深刻的内心矛盾，而且还造成他和自己亲人之间的裂痕。最终，现实教育使他放弃了偏见，树立了为全印度人民造福的思想。

泰戈尔通过戈拉的形象，表达了他自己反对帝国主义、复古主义和种姓制度的主张。

全国高等教育自学考试
外国文学史模拟试卷（五）

（课程代码　00540）

第Ⅰ部分　选择题（38分）

一、单项选择题（本大题共26小题，每小题1分，共26分。在每小题列出的四个备选项中只有一个是符合题目要求的，请将其代码填写在题后的括号内。错选、多选或未选均无分。）

1. 号召德国要摆脱对法国文学的依赖，主张创作“市民悲剧”的是（　　）。

A. 莱辛　　B. 歌德

C. 赫尔德　　D. 席勒

2. 文艺复兴运动的发源地是（　　）。

A. 法国　　B. 英国

C. 西班牙　　D. 意大利

3. 《伪君子》中的资产者形象是（　　）。

A. 答尔丢夫　　B. 桃丽娜

C. 奥尔贡　　D. 国王

4. 海涅的代表作是（　　）。

A.《西里西亚纺织工人》　　B.《德国—— 一个冬天的童话》

C.《麦布女王》　　D.《儿童与家庭童话集》

5. 欧洲文艺复兴时期的巨人，世界戏剧史上的泰斗是（　　）。

A. 莎士比亚　　B. 塞万提斯

C. 托马斯·莫尔　　D. 彼特拉克

6. “戏剧艺术的荷马”指的是（　　）。

A. 欧里庇得斯　　B. 埃斯库罗斯

C. 阿里斯托芬　　D. 索福克勒斯

7. “美国文学之父”指的是（　　）。

A. 欧文　　B. 库柏

C. 爱伦·坡　　D. 惠特曼

8. 莫里哀笔下最著名的吝啬鬼是（　　）。

A. 答尔丢夫　　B. 唐璜

C. 阿巴贡　　D. 奥尔贡

9. 屠格涅夫的短篇小说集是（　　）。

A.《前夜》　　B.《贵族之家》

C.《猎人笔记》　　D.《父与子》

10. 揭露了封建贵族的罪恶的作品是（　　）。

A.《可笑的女才子》　　B.《妇人学堂》

C.《伪君子》　　D.《恨世者》

11. 被歌德称为“骨中的骨，肉中的肉”的作品是（　　）。

A.《西东合集》　　B.《亲和力》

C.《诗与真》　　D.《托尔夸托·塔索》

12. 大仲马以复辟王朝和七月王朝为背景，描写邓蒂斯报恩复仇故事的作品是（　　）。

A.《三个火枪手》　　B.《基督山伯爵》

C.《哈姆莱特》　　D.《茶花女》

13. 被称为“象征派怪杰”的是（　　）。

A. 魏尔伦　　B. 兰波

C. 马拉美　　D. 戈蒂耶

14. 俄国第一篇描写小人物的作品是（　　）。

A.《茨冈人》　　B.《乡村》

C.《驿站长》　　D.《叶甫盖尼·奥涅金》

15. 第一个最重要的德国无产阶级诗人是（　　）。

A. 海涅　　B. 维尔特

C. 琼斯　　D. 林顿

16. 首次在俄国文学中塑造“新人”形象的作品是（　　）。

A.《驿站长》　　B.《前夜》

C.《烟》　　D.《处女地》

17. 马克·吐温的第一个短篇小说是（　　）。

A.《镀金时代》　　B.《竞选州长》

C.《卡列瓦拉县驰名的跳蛙》　　D.《王子与贫儿》

18. 果戈理《死魂灵》中著名的吝啬鬼是（　　）。

A. 泼留希金　　B. 索巴凯维奇

C. 玛尼罗夫　　D. 诺兹德寥夫

19. 被誉为“现代美国小说中第一部伟大的民族史诗”的作品是帕索斯的（　　）。

A.《愤怒的葡萄》　　B.《美国》

C.《献给老鼠》　　D.《人与鼠》

20. 象征派的泰斗指的是（　　）。

A. 魏尔伦　　B. 兰波

C. 马拉美　　D. 戈蒂娜

21. 下列属于旧约中的先知书的是（　　）。

A.《哈巴谷书》　　B.《创世记》

C.《列王记》　　D.《雅歌》

22. 下列属于阿·托尔斯泰的作品是（　　）。

A.《苦难的历程》　　B.《战争与和平》

C.《安娜·卡列尼娜》　　D.《这里黎明静悄悄》

23. 被认为是揭示现代人生存状态的杰作是艾略特的（　　）。

A.《荒原》　　B.《空心人》

C.《力士斯威尼》　　D.《四个四重奏》

24. 表现主义小说的杰出代表是奥地利的（　　）。

A. 沃尔夫　　B. 卡夫卡

C. 茨威格　　D. 乔伊斯

25. 辛伯达出自作品（　　）。

A.《源氏物语》　　B.《一千零一夜》

C.《平家物语》　　D.《堂吉诃德》

26. “他人就是地狱”这句表达存在主义哲学的名言出自（　　）。

A.《禁闭》　　B.《恶心》

C.《墙》　　D.《死无葬身之地》

二、多项选择题（本大题共6小题，每小题2分，共12分。在每小题列出的五个备选项中至少有两个是符合题目要求的，请将其代码填写在题后的括号内。错选、多选、少选或未选均无分。）

27. 文艺复兴时期的文学有（　　）。

A. 浪漫主义文学　　B. 现实主义文学

C. 人文主义文学　　D. 民间文学

E. 封建文学

28. 下列属于《红与黑》中的人物有（　　）。

A. 于连　　B. 德·瑞那市长

C. 哇列诺　　D. 珂赛特

E. 克罗德

29. 杰克伦敦借动物题材反映人类社会“肉搏”的残酷现实的作品是（　　）。

A.《荒野的呼唤》　　B.《白牙》

C.《铁蹄》　　D.《马丁·伊登》

E.《哀伤》

30. 赛珍珠被誉为“中国农民生活史诗”的作品是（　　）。

A.《夜色温柔》　　B.《大地》

C.《儿子们》　　D.《分家》

E.《人的命运》

31.《我是猫》中塑造的人物形象有（　　）。

A. 东风　　B. 寒月

C. 苦沙弥　　D. 岛村

E. 驹子

32. 马哈福兹的代表作是三部曲（　　）。

A.《宫间街》　　B.《思宫街》

C.《甘露街》　　D.《千夜之夜》

E.《雨中的爱情》

第Ⅱ部分　非选择题（62分）

三、名词解释题（本大题共5小题，每小题4分，共20分。）

33. 奥林波斯神系

34. 白桦派

35. 荷马史诗

36. 战后派

37. 存在主义

四、简答题（本大题共3小题，每小题6分，共18分。）

38. 简述《十日谈》的主题思想和结构特点。

39. 简述《巴黎圣母院》中的爱斯梅哈尔达形象。

40. 简述《双城记》的主题思想。

五、论述题（本大题共2小题，每小题12分，共24分。）

41. 试述《复活》的艺术成就。

42. 试述《老人与海》的象征意义。

全国高等教育自学考试
外国文学史模拟试卷（五）
参考答案

（课程代码　00540）

一、单项选择题（本大题共26小题，每小题1分，共26分。）

1. A	2. D	3. C	4. B	5. A	6. D	7. A
8. C	9. C	10. D	11. D	12. B	13. B	14. C
15. B	16. B	17. C	18. A	19. B	20. C	21. A
22. A	23. B	24. B	25. B	26. A		

二、多项选择题（本大题共6小题，每小题2分，共12分。）

27. CDE　28. ABC　29. AB　30. BCD　31. ABC　32. ABC

三、名词解释题（本大题共5小题，每小题4分，共20分。）

33. 答：希腊诸神按父权制氏族的方式在奥林波斯山上建立起以宙斯为首的庞大家族，称为“奥林波斯神系”。

34. 答：白桦派由围绕在同人文艺刊物《白桦》周围的作家组成。他们早期创作有理想主义倾向，多以表现自我、肯定自我为主。以后的人道主义思想逐步加强，强调人的尊严和意志。代表作家主要有武者小路实笃、志贺直哉和有岛武郎等。

35. 答：《伊利昂纪》和《奥德修纪》是古希腊最早的两部史诗，一般认为是吟诵诗人荷马所作，故称荷马史诗。公元前9世纪至公元前8世纪，小亚细亚一带的民间歌人、双目失明的职业乐师荷马把有关特洛伊战争的短歌、传说整理加工，巧制精编，创作了《伊利昂纪》和《奥德修纪》这两部长篇叙事佳作。到了公元前6世纪中叶，雅典执政者组织一批学者将其删改完善，《史诗》被正式用文字记录下来，整理成书。到公元前3世纪至公元前2世纪亚历山大城的学者又进一步审校、定本，这便是流传至今的“荷马史诗”。

36. 答：战后派是指第一次世界大战之后登上文坛的第一批新作家，他们以1946年创刊的《近代文学》杂志为中心，强调艺术至上，提倡文学独立于政治之外，主张作家不受政治党派和理论的束缚。野间宏《阴暗的图画》被公认为“战后派”的先声。第二次战后派作家主要有三岛由纪夫、大冈升平、安部公房、堀田善卫等。

37. 答：存在主义是20世纪30年代末期产生于法国，后流行欧美的文学流派，它以存在主义哲学为基础，以文学形式宣传存在主义哲学思想，宣扬世界荒谬、人生痛苦。代表作家是萨特、加缪和波伏娃。

四、简答题（本大题共3小题，每小题6分，共18分。）

38. 答：该作品以反对禁欲主义为主要思想。

首先，作品鲜明地表现了反教会、教权的思想，揭露了教士们在宗教外衣掩盖下的种种荒唐丑恶的行径和伪善的品性。作者从自然道德观出发，对僧侣生活的违反人性予以谴责。

其次，有些故事热情赞美人性，表达了崇尚爱情、肯定世俗生活的思想，宣扬了个性解放的主张，抨击封建社会中的等级门第观念，揭露了扼杀破坏、摧残人生幸福和爱情自由的封建力量。

最后，赞美商人、手工业者的聪明、勇敢，肯定了新兴资产阶级的生活态度。

小说在结构上采用了框形结构。设计10个为逃避黑死病而住在乡间的男女青年，每人每天讲1个故事，10天共讲100个故事。这种形式对欧洲后来的小说影响很大。

39. 答：爱斯梅哈尔达是一个封建制度下无辜遭受侮辱迫害的下层妇女形象和人性美的化身。她身处社会底层，但心地善良，富于同情心和反抗性格。她不计前嫌，给加西莫多在刑台喂水；为救穷诗人甘果瓦，自愿同他“结婚”；她真诚爱着曾救过她的侍卫长法比，而对克罗德的威胁利诱，她则坚贞不屈，宁为玉碎，不为瓦全，宁死也不屈从他的淫威。在她身上外貌的美与心灵的美和谐地统一在一起，她成了美的化身。

40. 答：《双城记》是一部历史小说，但处理的却是现实问题，思想内容很深刻。作者深切地感受到当时英国社会矛盾的尖锐、贫富的悬殊，下层群众中普遍存在着的愤懑与不满，与大革命前的法国相类似。他担心英国爆发像法国大革命那样的革命，警告英国统治者提防发生类似法国大革命的悲剧。

小说通过厄弗里蒙地侯爵、“朱古力爵爷”的荒淫、奢侈、残暴，梅尼特医生和得伐石太太一家的苦难遭遇，雄辩地说明，法国大革命的爆发是贵族阶级的腐朽、飞扬跋扈的结果，是下层人民长期仇恨的总爆发，从而肯定了法国大革命的正义性。作者虽然肯定了法国大革命的必然性与正义性，却反对革命暴力和大规模的群众运动。

五、论述题（本大题共 2 小题，每小题 12 分，共 24 分。）

41. 答：《复活》在艺术上取得了很高的成就。小说以单线的情节线索描绘了广阔的社会生活，通过聂赫留朵夫为玛丝洛娃上诉、奔走求情，最终去西伯利亚的故事，广泛而深入地描写了俄国社会，展现了一幅幅生动的社会生活画面。

小说在描绘艺术画面和人物形象时，大量使用了对比手法。无论是景物对比还是人物对比，都能暴露社会的矛盾对立，突出表现人民群众的苦难，增强作品的批判力量。

小说对人物的心理刻画细致入微。能深入各种人物的内心世界，抓住瞬间的思想感情的变化，表现人物内心的矛盾和斗争。

小说很重视细节的描写，包括对人物的外貌和生活环境的描绘。这些描写虽然着墨不多，却使形象显得异常鲜明。

42. 答：《老人与海》是一部寓意深刻的具有象征意义的作品。

首先，老人圣地亚哥作为硬汉子形象的代表，是人类精神的体现，马林鱼是人生理想的象征，老人与大鱼的关系是人类为追求美好生活理想而不息奋斗精神的写照。

其次，大海象征变幻无常的社会生活，鲨鱼象征无法摆脱的悲剧命运，狮子象征勇气和力量。老人与大海的关系以及与鲨鱼的搏斗是人类面对不可知的生活及命运所表现的一种积极抗争的精神。

最后，已进入老年状态的圣地亚哥作为海明威笔下所有硬汉子形象的代表，在自然的王国里历经挫折而奋斗不息，这也是创作上进入老年的海明威在艺术的王国里奋力拼搏的象征。

全国高等教育自学考试
外国文学史模拟试卷（六）

（课程代码　00540）

第Ⅰ部分　选择题（38分）

一、单项选择题（本大题共26小题，每小题1分，共26分。在每小题列出的四个备选项中只有一个是符合题目要求的，请将其代码填写在题后的括号内。错选、多选或未选均无分。）

1. 古希腊罗马神话和英雄传说的汇编《变形记》的作者是（　　）。

A. 奥维德　　B. 维吉尔

C. 贺拉斯　　D. 阿普列尤斯

2. 《伊戈尔远征记》是（　　）的英雄史诗。

A. 俄罗斯　　B. 德国

C. 法国　　D. 西班牙

3. 《巨人传》的作者是（　　）。

A. 塞万提斯　　B. 维加

C. 乔叟　　D. 拉伯雷

4. 被誉为“舞台上的哲学家”的是（　　）。

A. 埃斯库罗斯　　B. 索福克勒斯

C. 欧里庇得斯　　D. 阿里斯托芬

5. 英国现代小说的先驱是（　　）。

A. 笛福　　B. 理查逊
C. 菲尔丁　　D. 斯威夫特

6. 下列属于寓言诗人的是（　　）。
A. 高乃依　　B. 拉辛
C. 拉封丹　　D. 布瓦洛

7. 雨果的浪漫主义剧本是（　　）。
A.《西里西亚纺织工人》　　B.《欧那尼》
C.《儿童与家庭童话集》　　D.《麦布女王》

8. 塞万提斯属于（　　）。
A. 英国　　B. 法国
C. 西班牙　　D. 意大利

9. 19 世纪美国浪漫主义作家霍桑的代表作是（　　）。
A.《红字》　　B.《福谷传奇》
C.《玉石雕像》　　D.《带有七个尖角阁的房子》

10. 18 世纪欧洲文学最令人瞩目的成就是（　　）。
A. 古典主义文学　　B. 人文主义文学
C. 启蒙主义文学　　D. 浪漫主义文学

11. 乔治・桑是（　　）的浪漫主义女作家。
A. 法国　　B. 德国
C. 英国　　D. 美国

12. 《鲁滨孙漂流记》的作者是（　　）。
A. 菲尔丁　　B. 笛福
C. 理查逊　　D. 斯威夫特

13. 狄更斯的成名作是（　　）。
A.《匹克威克外传》　　B.《艰难时世》
C.《双城记》　　D.《荒凉山庄》

14. 俄国文学史上的第一个“多余人”形象是（　　）。
A. 勒内　　B. 毕巧林
C. 维林　　D. 奥涅金

15. 体现莫泊桑文学创作最高成就的是他的（　　）。
A. 长篇小说　　B. 中短篇小说

C. 散文　　D. 戏剧

16. 巴尔扎克在作品（　　）中独创了“人物再现法”。

A.《人间喜剧》　　B.《小杜丽》

C.《奥立弗·退斯特》　　D.《董贝父子》

17.《德伯家的苔丝》的副标题是（　　）。

A. 一个纯洁的女人　　B. 一个可怜的女人

C. 一个勤劳的女人　　D. 一个坚强的女人

18. 唯美主义文学的代表作家是（　　）。

A. 戈蒂耶　　B. 王尔德

C. 欧仁·鲍狄埃　　D. 路易丝·米歇尔

19. 下列属于海明威的代表作的是（　　）。

A.《永别了，武器》　　B.《太阳照常升起》

C.《老人与海》　　D.《丧钟为谁而鸣》

20. 葛利高里出自作品（　　）。

A.《被开垦的处女地》　　B.《静静的顿河》

C.《胎记》　　D.《看瓜田的人》

21. 下列属于普鲁斯特的作品的是（　　）。

A.《追忆逝水年华》　　B.《等待戈多》

C.《局外人》　　D.《鼠疫》

22. 下列属于布勒东的代表作的是（　　）。

A.《秃头歌女》　　B.《娜佳》

C.《局外人》　　D.《鼠疫》

23. 古印度作家迦梨陀娑的代表作是（　　）。

A.《沙恭达罗》　　B.《优哩婆湿》

C.《云使》　　D.《罗怙世系》

24. 萨特“境遇剧”的代表作是（　　）。

A.《禁闭》　　B.《苍蝇》

C.《恶心》　　D.《死无葬身之地》

25. 下列属于钱达尔的作品的是（　　）。

A.《戈丹》　　B.《故乡》

C.《不可接触的贱民》　　D.《失败》

26. 被称为“印度的月亮”的作家是（　　）。

A. 泰戈尔　　B. 金德尔

C. 查特吉　　D. 迦利布

二、多项选择题（本大题共6小题，每小题2分，共12分。在每小题列出的五个备选项中至少有两个是符合题目要求的，请将其代码填写在题后的括号内。错选、多选、少选或未选均无分。）

27. 英国诗人弥尔顿创作的以《圣经》为题材的长诗有（　　）。

A.《失乐园》　　B.《创世记》

C.《复乐园》　　D.《力士参孙》

E.《士师记》

28. 18世纪法国的启蒙作家有（　　）。

A. 伏尔泰　　B. 狄德罗

C. 笛福　　D. 菲尔丁

E. 卢梭

29.《浮士德》中的艺术形象有（　　）。

A. 浮士德　　B. 靡非斯托

C. 玛格莉特　　D. 绿蒂

E. 欧福良

30.《双城记》中的故事发生在（　　）。

A. 德国　　B. 美国

C. 法国　　D. 英国

E. 俄国

31. 罗曼·罗兰的传记有（　　）。

A.《女预言家》　　B.《贝多芬传》

C.《米开朗琪罗传》　　D.《托尔斯泰传》

E.《罗伯斯庇尔》

32. 意识流的经典作品有（　　）。

A.《追忆逝水年华》　　B.《喧哗与骚动》

C.《椅子》　　D.《尤利西斯》

E.《第二十二条军规》

第Ⅱ部分　非选择题（62 分）

三、名词解释题（本大题共 5 小题，每小题 4 分，共 20 分。）

33. “解冻文学”

34. “小人物”

35. 悬诗

36. 复调小说

37. 荒诞派戏剧

四、简答题（本大题共3小题，每小题6分，共18分。）

38. 简析《伊利昂纪》中的阿喀琉斯形象。

39. 简述古典主义文学的特征。

40. 简述纪伯伦创作的艺术风格。

五、论述题（本大题共 2 小题，每小题 12 分，共 24 分。）

41. 论述《浮士德》中的浮士德形象。

42. 试述《死魂灵》的艺术特色。

全国高等教育自学考试
外国文学史模拟试卷（六）
参考答案

（课程代码　00540）

一、单项选择题（本大题共 26 小题，每小题 1 分，共 26 分。）

1. A	2. A	3. D	4. C	5. A	6. C	7. B
8. C	9. A	10. C	11. A	12. B	13. A	14. D
15. B	16. A	17. A	18. B	19. C	20. B	21. A
22. B	23. A	24. A	25. D	26. B		

二、多项选择题（本大题共 6 小题，每小题 2 分，共 12 分。）

27. ACD　28. ABE　29. ABCE　30. CD　31. BCD　32. ABD

三、名词解释题（本大题共 5 小题，每小题 4 分，共 20 分。）

33. 答："解冻"思潮是以爱伦堡的中篇小说《解冻》命名的。小说通过描写伏尔加河沿岸一家工厂的厂长茹拉夫廖夫这个"官僚主义者"典型，反映了苏联社会的不正常现象。小说以写冰雪消融、解冻时节来临结束。于是"解冻"成了这个时期文学界的象征，由此发端的干预生活、写阴暗面、表现重大的社会政治问题，关注人物命运的创作倾向，被称为"解冻文学"思潮。

34. 答："小人物"是 19 世纪俄国文学中所塑造的一批生活在社会底层的、被欺凌被侮辱的典型。他们官阶卑微、地位低下、生活困苦，但又逆来顺受、安分守己、性格懦弱、胆小怕事，因而成为"大人物"统治下的牺牲品。

35. 答：悬诗是阿拉伯文学的一种，代表了蒙昧时期诗歌创作的最高成就。据说在夷加附近的欧卡兹集市上每年都要举行赛诗会，中选的诗以金粉汁书写在亚麻布上，高悬于“克尔白”天房，因而得名。

36. 答：复调小说是一种小说结构样式，是由众多的似乎平等的声音的对话构成的。如果从说话人的角度来考察他们的议论，几乎每一种声音都是振振有词的。显得好像是众多的地位平等的意识，连同它们各自的世界，结合在某个统一的事件中，相互对话却不发生融合。

37. 答：荒诞派戏剧是 20 世纪 50 年代初期出现于法国的一个文学流派。它在内容上表现出世界的不可理喻，人生的荒诞不经，在艺术手法上打破传统的戏剧结构，用不合逻辑的情节、性格破碎的人物形象、机械重复的戏剧动作和枯燥乏味的语言表现世界荒诞的根本主题。

四、简答题（本大题共 3 小题，每小题 6 分，共 18 分。）

38. 答：阿喀琉斯是神与人之子，为了部落集体利益，他作战勇猛过人，表现了一种死而无悔的英雄主义精神。他把个人荣誉和尊严看作是比生命还重要和宝贵的东西，认为维护个人荣誉就是维护个人的人格乃至家族的荣誉。他珍视友谊，当好友帕克洛特罗斯阵亡时，他从个人的愤怒中猛醒过来，顿释私仇，再度上阵，杀死对方主将赫克托耳，为朋友报仇雪恨。阿喀琉斯性格中既有残忍的一面却又极富同情心。当赫克托耳的老父请求归还儿子尸体时，他不仅答应了老人的请求，而且流下了同情的眼泪。

39. 答：首先，古典主义文学在政治上拥护王权，维护国家民族的利益。其次，古典主义文学表现为对理性的绝对遵从。最后，古典主义文学模仿古人、重视创作规则。

在古典主义戏剧的创作规则中，影响最大的是“三一律”。“三一律”要求一个剧本只能有一个情节线索，剧情只能发生在同一地点，时间不准超过一昼夜，即 24 小时。

40. 答：纪伯伦的作品自始至终贯穿着一种清新、隽永、令人深思的艺术风格。

首先，他在创作上善于学习东西方先人的经验，但又注重表现形式上的创新，无论是叙事还是描写都表现出了浓郁的哲理性，拓展了人们的思维空间与逻辑的推理深度。

其次，作品表现出了丰富的想象力和激越的情感，让人能清晰地感受到作者以满腔热忱抒发的强烈的主观情绪。

最后，无论是小说还是散文诗，都讲究对仗，音调铿锵，并以富于联想的比喻和拟人，新颖的意象和象征，带有音乐式的语言，表达自己的艺术追求。这种艺术特色被阿拉伯文坛称为“纪伯伦风格”。

五、论述题（本大题共2小题，每小题12分，共24分。）

41. 答：《浮士德》通过主人公在人生道路上所经历的五个阶段，即知识悲剧、生活悲剧、政治悲剧、美的悲剧和事业悲剧的追求，集中展示了浮士德形象所具有的性格特点：既受生命本能欲望的驱使，沉迷于对名利、权势、地位和女人等现实欲望的追求，又能超脱诱惑，勇于超越自我，不断向更高的目标奋进。浮士德形象表现出的这种“灵”与“肉”的矛盾，非常鲜明地体现了普通人所具有的双重性特征，使浮士德成为普通人类的代表。

但是，浮士德在赌赛中的胜出和最终的救赎，核心在于他不竭奋斗的精神。这种自强不息、积极进取、勇于探索的品质，就是所谓的“浮士德精神”。可见，浮士德不仅是一种积极进取精神的代表，更是一个自强不息的探索者形象。歌德对浮士德人生经历的描写，实际上是对自文艺复兴以来至启蒙运动时期欧洲历史的概括。因此，浮士德亦成为这一时代欧洲资产阶级中优秀知识分子形象的集中体现。

42. 答：《死魂灵》在艺术上的突出之处是作者用写实笔法，调动多种艺术手段，刻画地主群丑，使之各具个性特点，成为独特的“这一个”。

第一，《死魂灵》不以故事情节的发展取胜，而以人物性格刻画见长。

第二，果戈理刻画地主，不求面面俱到，而是抓住表现人物性格的最主要的特征，着意渲染，不断强化。

第三，果戈理没有单独描写人物心理变化，而是注重肖像刻画，绘形描神，显现人物的精神世界。

第四，果戈理紧扣人物所处的特定环境，渲染气氛，写活人物。

全国高等教育自学考试
外国文学史模拟试卷（七）

（课程代码　00540）

第Ⅰ部分　选择题（38 分）

一、单项选择题（本大题共 26 小题，每小题 1 分，共 26 分。在每小题列出的四个备选项中只有一项是符合题目要求的，请将其代码填写在题后的括号里。错选、多选或未选均无分。）

1. 被亚里士多德称为“十全十美的悲剧”作品是（　　）。

A.《俄狄浦斯王》　　B.《美狄亚》

C.《特洛亚妇女》　　D.《被缚的普罗米修斯》

2. 欧洲文人史诗的开端是（　　）。

A.《伊利昂纪》　　B.《罗摩衍那》

C.《奥德修纪》　　D.《埃涅阿斯纪》

3.《神曲》的作者但丁是（　　）。

A. 意大利人　　B. 法国人

C. 西班牙人　　D. 德国人

4.《堂吉诃德》的作者是（　　）。

A. 维加　　B. 塞万提斯

C. 乔叟　　D. 马里诺

5. 塑造苔丝狄蒙娜形象的作品是（　　）。

A.《奥赛罗》　B.《李尔王》

C.《麦克白》　D.《哈姆莱特》

6. 弥尔顿的代表作《失乐园》是（　　）。

A. 散文　B. 诗歌

C. 戏剧　D. 小说

7.《拉摩的侄儿》的作者是（　　）。

A. 狄德罗　B. 高乃依

C. 伏尔泰　D. 卢梭

8. 席勒的代表作是（　　）。

A.《阴谋与爱情》　B.《智者纳坦》

C.《狂飙突进》　D.《威廉·麦斯特的学习时代》

9. 欧洲历史小说的创始人是（　　）。

A. 雨果　B. 大仲马

C. 司各特　D. 库珀

10. 侦探小说的先驱爱伦·坡是（　　）。

A. 美国作家　B. 英国作家

C. 法国作家　D. 德国作家

11. "宪章派文学"产生于（　　）。

A. 18 世纪 30 年代　B. 18 世纪 70 年代

C. 19 世纪 30 年代　D. 19 世纪 70 年代

12.《包法利夫人》中的女主人公是（　　）。

A. 绿蒂　B. 露茜

C. 玛格丽特　D. 爱玛

13. 19 世纪俄国现实主义文学的别称是（　　）。

A. 自然主义　B. 自然派

C. 战壕真实派　D. 耶拿派

14.《当代英雄》中的主人公是（　　）。

A. 毕巧林　B. 别尔托夫

C. 梅尼特　D. 巴扎洛夫

15. 塑造罗亭形象的作家是（　　）。

A. 屠格涅夫　B. 契诃夫

C. 冈察洛夫　　D. 涅克拉索夫

16.《道林·格雷的画像》的作者王尔德是（　　）。

A. 存在主义作家　　B. 象征主义作家

C. 表现主义作家　　D. 唯美主义作家

17. 以“一个纯洁的女人”为副标题的作品是（　　）。

A.《名利场》　　B.《德伯家的苔丝》

C.《简·爱》　　D.《安娜·卡列尼娜》

18. 被誉为欧洲“现代戏剧之父”的作家是（　　）。

A. 易卜生　　B. 布莱希特

C. 果戈理　　D. 奥斯特洛夫斯基

19. 采用神话模式进行创作的诗歌是（　　）。

A.《荒原》　　B.《等待戈多》

C.《毛猿》　　D.《局外人》

20. 短篇小说《变形记》的作者是（　　）。

A. 奥尼尔　　B. 加缪

C. 卡夫卡　　D. 萨特

21. “魔幻现实主义小说”最杰出的代表作家是（　　）。

A. 海勒　　B. 马尔克斯

C. 福克纳　　D. 乔伊斯

22.《沙恭达罗》中的男主人公豆扇陀是（　　）。

A. 国王　　B. 猎人

C. 渔民　　D. 王子

23. 日本传统文学的集大成者紫式部是（　　）。

A. 奈良时期作家　　B. 平安时期作家

C. 镰仓时期作家　　D. 江户时期作家

24. 被高尔基称为民间文学中“最壮丽的一座纪念碑”的作品是（　　）。

A.《蔷薇园》　　B.《吉尔伽美什》

C.《五卷书》　　D.《一千零一夜》

25. 20 世纪初旅居美洲的阿拉伯作家组成的文学流派是（　　）。

A. “旅美派”　　B. “战后派”

C. “新感觉派”　　D. “新思潮派”

26. 塑造何利形象的作品是（　　）。

A.《戈拉》　　B.《博爱新村》

C.《戈丹》　　D.《服务院》

二、多项选择题（本大题共 6 小题，每小题 2 分，共 12 分。在每小题列出的五个备选项中至少有两个是符合题目要求的，请将其代码填写在题后的括号内。错选、多选、少选或未选均无分。）

27. 古罗马时期的代表诗人有（　　）。

A. 萨福　　B. 维吉尔

C. 贺拉斯　　D. 赫西俄德

E. 奥维德

28.《巨人传》的主人公有（　　）。

A. 格朗古杰　　B. 罗狄克

C. 卡冈都亚　　D. 庞大固埃

E. 费德尔

29. 18 世纪英国小说家有（　　）。

A. 笛福　　B. 菲尔丁

C. 理查逊　　D. 斯威夫特

E. 斯特恩

30.《红与黑》中的人物有（　　）。

A. 玛蒂尔德　　B. 于连

C. 法布利斯　　D. 德·瑞那市长

E. 哇列诺

31. 陀思妥耶夫斯基的长篇小说有（　　）。

A.《谁之罪》　　B.《卡拉马佐夫兄弟》

C.《群魔》　　D.《奥勃洛摩夫》

E.《罪与罚》

32. 泰戈尔中期创作的主要诗集有（　　）。

A.《沉船》　　B.《园丁集》

C.《飞鸟集》　　D.《吉檀迦利》

E.《新月集》

第Ⅱ部分　非选择题（62 分）

三、名词解释题（本大题共 5 小题，每小题 4 分，共 20 分。）

33.《十日谈》

34. 歌德

35. 拉斯蒂涅

36. 荒诞派戏剧

37. 埃及现代派

四、简答题（本大题共 3 小题，每小题 6 分，共 18 分。）

38. 简述古希腊神话的特点。

39. 简析哈克贝利·费恩的形象。

40. 简述中古东方文学的基本特征。

五、论述题（本大题共 2 小题，每小题 12 分，共 24 分。）

41. 分析叶甫盖尼·奥涅金的形象。

42. 论述《老人与海》的象征意义。

全国高等教育自学考试
外国文学史模拟试卷（七）
参考答案

（课程代码　00540）

一、单项选择题（本大题共 26 小题，每小题 1 分，共 26 分。）

1. A	2. D	3. A	4. B	5. A	6. B	7. A
8. A	9. C	10. A	11. C	12. D	13. B	14. A
15. A	16. D	17. B	18. A	19. A	20. C	21. B
22. A	23. B	24. D	25. A	26. C		

二、多项选择题（本大题共 6 小题，每小题 2 分，共 12 分。）

27. BCE　28. ACD　29. ABCDE　30. ABDE　31. BCE　32. BCDE

三、名词解释题（本大题共 5 小题，每小题 4 分，共 20 分。）

33. 答：《十日谈》是意大利作家薄伽丘的作品。它以反对禁欲主义为主要思想，肯定世俗生活的价值，赞美商人、手工业者的聪明、勇敢。

34. 答：歌德是 18 世纪德国著名作家，为德国文学赢得了世界声誉。他是“狂飙突进”运动的重要参与者，他的代表作有《少年维特的烦恼》《浮士德》。

35. 答：拉斯蒂涅是巴尔扎克笔下《高老头》中的主要人物，他是复辟时期青年野心家的典型。在完成人生三课的教育之后，他投入了社会的深渊。

36. 答：荒诞派戏剧是 20 世纪 50 年代初期出现在法国的文学流派。它在内容上表现了世界的不可理喻、人生的荒诞不经，打破了传统的戏剧结构。荒诞派戏剧的代表作包括尤奈斯库的《秃头歌女》、贝克特的《等待戈多》。

37. 答：“埃及现代派”是第一次世界大战后形成于埃及，之后扩大到叙利亚等国的现实主义文学流派。“埃及现代派”的杰出代表是埃及作家塔哈·侯赛因，其代表作是《日子》。

四、简答题（本大题共3小题，每小题6分，共18分。）

38. 答：（1）神是高度人格化的，神、人同形同性。

（2）体现出浓郁的人本主义色彩。

（3）想象丰富、内容生动、故事优美。

39. 答：（1）马克·吐温长篇小说《哈克贝利·费恩历险记》中的主人公。

（2）美国“文明社会”的叛逆者。

（3）具有善良淳朴、正直无私和勇敢机智的性格。

40. 答：（1）创作空前繁荣，多民族文学共同兴旺。

（2）各民族文学相互交流，互相影响。

（3）民间文学尤其发达。

五、论述题（本大题共2小题，每小题12分，共24分。）

41. 答：（1）叶甫盖尼·奥涅金是普希金代表作《叶甫盖尼·奥涅金》中的主人公，也是俄国文学史上第一个“多余人”的形象。

（2）叶甫盖尼·奥涅金是开始觉醒的贵族青年一代的典型，对贵族的庸俗生活感到不满。

（3）叶甫盖尼·奥涅金毫无实际工作的能力，缺乏对抗习惯势力的勇气。

注：以上各点需要适当展开论述。

42. 答：（1）老人圣地亚哥是硬汉子形象的代表，是人类精神的体现。老人与大鱼的关系是人类为追求美好生活理想而不息奋斗精神的写照。

（2）老人与大海的关系以及与鲨鱼的搏斗是人类面对不可知的生活及其命运所表现出的一种积极抗争精神。

（3）老人在自然王国里历经挫折而奋斗不息，象征着创作上进入老年的海明威在艺术王国中的奋力拼搏。

注：以上各点需要适当展开论述。

全国高等教育自学考试
外国文学史模拟试卷（八）

（课程代码　00540）

第Ⅰ部分　选择题（38分）

一、单项选择题（本大题共26小题，每小题1分，共26分。在每小题列出的四个备选项中只有一项是符合题目要求的，请将其代码填写在题后的括号里。错选、多选或未选均无分。）

1. 古希腊神话中的智慧女神是（　　）。

A. 赫拉　　B. 阿佛洛狄忒
C. 雅典娜　　D. 阿尔忒弥斯

2. 《变形记》的作者奥维德是（　　）。

A. 古罗马作家　　B. 古印度作家
C. 古希腊作家　　D. 古波斯作家

3. 古希腊悲剧作品中，表现个人意志与命运冲突的是（　　）。

A.《安提戈涅》　　B.《俄狄浦斯王》
C.《美狄亚》　　D.《被缚的普罗米修斯》

4. 中世纪骑士文学成就最高的国家是（　　）。

A. 英国　　B. 法国
C. 德国　　D. 俄国

5. 西班牙流浪汉小说的代表作是（　　）。

A.《小癞子》 B.《少年维特的烦恼》

C.《鲁滨孙漂流记》 D.《浮士德博士的悲剧》

6. 17 世纪法国文学的主流是（　　）。

A. 古典主义 B. 浪漫主义

C. 启蒙主义 D. 象征主义

7.《失乐园》中具有双重性的形象是（　　）。

A. 答尔丢夫 B. 撒旦

C. 阿巴贡 D. 靡非斯托

8.《格列佛游记》的作者是（　　）。

A. 司各特 B. 伏尔泰

C. 斯威夫特 D. 菲尔丁

9. 卢梭的《新爱洛伊丝》是（　　）。

A. 日记体小说 B. 书信体小说

C. 对话体小说 D. 自传体小说

10. 发生“欧那尼决战”的国家是（　　）。

A. 英国 B. 德国

C. 意大利 D. 法国

11.《白鲸》的作者是（　　）。

A. 霍桑 B. 惠特曼

C. 梅尔维尔 D. 欧文

12. 集中塑造“拜伦式英雄”系列形象的作品是（　　）。

A.《东方叙事诗》 B.《曼弗雷德》

C.《恰尔德・哈洛尔德游记》 D.《唐璜》

13.《叶甫盖尼・奥涅金》中的女主人公是（　　）。

A. 达吉亚娜 B. 阿克西妮亚

C. 玛丝洛娃 D. 娜斯塔西娅

14. 狄更斯的成名作是（　　）。

A.《双城记》 B.《匹克威克外传》

C.《远大前程》 D.《大卫・科波菲尔》

15. 冈察洛夫笔下的奥勃洛摩夫是（　　）。

A.“多余人”形象 B.“小人物”形象

C. “新人”形象　　D. “硬汉子”形象

16. 塑造吝啬鬼泼留希金形象的作品是（　　）。

A.《死魂灵》　　B.《高老头》

C.《罪与罚》　　D.《名利场》

17. 被评论界称为“音乐小说”的作品是（　　）。

A.《包法利夫人》　　B.《安娜・卡列尼娜》

C.《约翰・克利斯朵夫》　　D.《恰特莱夫人的情人》

18.《一个陌生女人的来信》的作者是（　　）。

A. 英国人　　B. 匈牙利人

C. 德国人　　D. 奥地利人

19. 开启象征主义先河的诗人是（　　）。

A. 兰波　　B. 马拉美

C. 庞德　　D. 波德莱尔

20. 马尔克斯的代表作《百年孤独》是（　　）。

A. 荒诞派戏剧　　B. 象征主义诗歌

C. 魔幻现实主义小说　　D. 黑色幽默小说

21. 中古日本的第一部和歌总集是（　　）。

A.《万叶集》　　B.《怀风藻》

C.《古事记》　　D.《五卷书》

22. 民间故事集《一千零一夜》出自（　　）。

A. 中古阿拉伯　　B. 中古波斯

C. 中古印度　　D. 中古越南

23.《沙恭达罗》的男主人公是（　　）。

A. 豆扇陀　　B. 苦沙弥

C. 光源氏　　D. 辛伯达

24. 波斯诗人菲尔多西的代表作是（　　）。

A.《果园》　　B.《蔷薇园》

C.《列王纪》　　D.《先知园》

25. 第一个获得诺贝尔文学奖的亚洲作家是（　　）。

A. 戈迪默　　B. 泰戈尔

C. 索因卡　　D. 大江健三郎

26. 长篇小说《戈丹》的主人公何利是（　　）。

A. 工人　　B. 商人
C. 农民　　D. 知识分子

二、多项选择题（本大题共 6 小题，每小题 2 分，共 12 分。在每小题列出的五个备选项中至少有两个是符合题目要求的，请将其代码填写在题后的括号内。错选、多选、少选或未选均无分。）

27. 下列属于古罗马著名的喜剧作家有（　　）。

A. 索福克勒斯　　B. 阿里斯托芬
C. 埃斯库罗斯　　D. 泰伦斯
E. 普劳图斯

28. 18 世纪英国小说家包括（　　）。

A. 萨克雷　　B. 理查逊
C. 菲尔丁　　D. 夏洛蒂·勃朗特
E. 笛福

29. 下列属于《高老头》中的主要人物形象的有（　　）。

A. 伏脱冷　　B. 伏盖太太
C. 拉斯蒂涅　　D. 鲍赛昂子爵夫人
E. 纽沁根太太

30. 19 世纪后期欧美文学流派有（　　）。

A. 表现主义　　B. 超现实主义
C. 现实主义　　D. 唯美主义
E. 自然主义

31. 萨特的主要作品有（　　）。

A.《墙》　　B.《鼠疫》
C.《荒原》　　D.《苍蝇》
E.《禁闭》

32. 川端康成的作品有（　　）。

A.《舞姬》　　B.《名人》
C.《雪国》　　D.《千只鹤》
E.《古都》

第Ⅱ部分　非选择题（62分）

三、名词解释题（本大题共5小题，每小题4分，共20分。）

33. 阿喀琉斯

34. 拉辛

35. “心灵辩证法”

36.《德伯家的苔丝》

37. “旅美派”

四、简答题（本大题共 3 小题，每小题 6 分，共 18 分。）

38. 简析于连的形象。

39. 简述《人间喜剧》的思想内容。

40. 简述东方近代文学的基本特征。

五、论述题（本大题共 2 小题，每小题 12 分，共 24 分。）

41. 分析堂吉诃德形象。

42. 论述卡夫卡《变形记》的主题。

全国高等教育自学考试
外国文学史模拟试卷（八）
参考答案

（课程代码　00540）

一、单项选择题（本大题共 26 小题，每小题 1 分，共 26 分。）

1. C	2. A	3. B	4. B	5. A	6. A	7. B
8. C	9. B	10. D	11. C	12. A	13. A	14. B
15. A	16. A	17. C	18. D	19. D	20. C	21. A
22. A	23. A	24. C	25. B	26. C		

二、多项选择题（本大题共 6 小题，每小题 2 分，共 12 分。）

27. DE	28. BCE	29. ABCDE	30. CDE	31. ADE	32. ABCDE

三、名词解释题（本大题共 5 小题，每小题 4 分，共 20 分。）

33. 答：阿喀琉斯是荷马史诗《伊利亚特》中个性最为鲜明的希腊英雄，是神与人之子，是男性美的典范。其性格特征立体多元，集勇敢、义气、暴躁、凶狠、善良、诚挚于一身。

34. 答：拉辛是 17 世纪法国古典主义悲剧的代表作家。其代表作是《安德洛玛克》。此外，拉辛在创作时严格遵循“三一律”的创作原则。

35. 答：“心灵辩证法”是托尔斯泰在小说中运用的心理描写手法，这是车尔尼雪夫斯基对其的评价。它注重描述人物心理运动和变化过程，展示人物多层次的心理。

36. 答：《德伯家的苔丝》是英国作家哈代创作的长篇小说，它描写了农家女子苔丝短促而不幸的一生。它对资产阶级社会及其法律、道德和虚伪的宗教做了有力揭露，并体现作者的宿命论色彩。

37. 答："旅美派"是阿拉伯现代文学的一个重要流派，由旅居美洲的阿拉伯作家组成。黎巴嫩诗人纪伯伦是此派的重要作家，该派的代表作是散文诗集《先知》。

四、简答题（本大题共3小题，每小题6分，共18分。）

38. 答：（1）于连是《红与黑》中的主人公、法国复辟时期小资产阶级知识分子个人奋斗的典型。

（2）有理想、有抱负，要求民主平等，富有反抗精神。

（3）具有"性格分裂"的特点，既自尊、自爱、真诚，又自卑、怯懦、虚伪。

39. 答：（1）反映了资产阶级取代贵族阶级的罪恶发家史。

（2）反映了贵族阶级的没落衰亡史。

（3）展现了金钱统治一切的社会风俗史。

40. 答：（1）具有鲜明的政治倾向性。

（2）受西方各种思潮影响。

（3）作家作品数量剧增。

（4）具有承前启后的意义。

五、论述题（本大题共2小题，每小题12分，共24分。）

41. 答：（1）荒唐可笑，具有喜剧人物的因素。

（2）不怕牺牲、勇敢无畏，充满悲剧精神。

（3）人文主义思想的传播者。

注：以上各点需要适当展开论述。

42. 答：（1）卡夫卡的代表作，讲述了格里高尔变成甲虫的荒诞故事。

（2）表现了资本主义社会中人的"异化"现象。

（3）反映了资本主义社会是一个缺乏人情的冷漠世界。

注：以上各点需要适当展开论述。

全国高等教育自学考试
外国文学史模拟试卷（九）

（课程代码　00540）

第Ⅰ部分　选择题（38 分）

一、单项选择题（本大题共 26 小题，每小题 1 分，共 26 分。在每小题列出的四个备选项中只有一项是符合题目要求的，请将其代码填写在题后的括号里。错选、多选或未选均无分。）

1. 古希腊文艺理论著作《诗学》的作者是（　　）。

A. 亚里士多德　　B. 柏拉图
C. 贺拉斯　　D. 维吉尔

2. 中世纪欧洲骑士文学成就最高的国家是（　　）。

A. 法国　　B. 英国
C. 德国　　D. 意大利

3. 但丁的代表作是（　　）。

A.《新生》　　B.《歌集》
C.《神曲》　　D.《十日谈》

4. 长篇小说《巨人传》的作者是（　　）。

A. 彼特拉克　　B. 拉伯雷
C. 龙沙　　D. 薄伽丘

5. 塑造出伊阿古形象的作品是（　　）。

A.《哈姆莱特》 B.《麦克白》

C.《李尔王》 D.《奥赛罗》

6. 弥尔顿创作的取材于《旧约·士师记》的诗剧是（　　）。

A.《失乐园》 B.《复乐园》

C.《力士参孙》 D.《天路历程》

7. 法国古典主义悲剧的创始人是（　　）。

A. 布瓦洛 B. 拉辛

C. 莫里哀 D. 高乃依

8. 长篇小说《新爱洛伊丝》的作者是（　　）。

A. 伏尔泰 B. 卢梭

C. 狄德罗 D. 赫尔德

9. 市民悲剧《阴谋与爱情》的作者是（　　）。

A. 歌德 B. 席勒

C. 莱辛 D. 克林格尔

10. 浪漫主义文学思潮的理论策源地是（　　）。

A. 英国 B. 法国

C. 德国 D. 意大利

11. 奠定了雨果在浪漫主义文学运动中的旗手和领袖地位的作品是（　　）。

A.《欧那尼》 B.《<克伦威尔>序言》

C.《九三年》 D.《悲惨世界》

12. 斯丹达尔的代表作是（　　）。

A.《阿尔芒斯》 B.《红与黑》

C.《吕西安·娄凡》 D.《巴马修道院》

13. 陀思妥耶夫斯基的处女作是（　　）。

A.《脆弱的心》 B.《舅舅的梦》

C.《死屋手记》 D.《穷人》

14. 莫泊桑发表的第一篇成功的作品是（　　）。

A.《羊脂球》 B.《一生》

C.《漂亮朋友》 D.《项链》

15. 法国唯美主义文学的代表作家是（　　）。

A. 戈蒂耶 B. 王尔德

C. 鲍狄埃　　D. 魏尔伦

16. 长篇小说《德伯家的苔丝》的作者是（　　）。

A. 狄更斯　　B. 夏洛蒂·勃朗特

C. 哈代　　D. 萨克雷

17. 长篇小说《虹》的作者是（　　）。

A. 康拉德　　B. 福斯特

C. 劳伦斯　　D. 戈尔丁

18. 高尔基发表的第一篇小说是（　　）。

A.《马卡尔·楚德拉》　　B.《海燕》

C.《母亲》　　D.《敌人》

19. 罗曼·罗兰的代表作是（　　）。

A.《静静的顿河》　　B.《约翰·克利斯朵夫》

C.《伪币制造者》　　D.《一个陌生女人的来信》

20. 表现主义小说《变形记》的作者是（　　）。

A. 斯特林堡　　B. 奥尼尔

C. 恰佩克　　D. 卡夫卡

21. 加西亚·马尔克斯的代表作是（　　）。

A.《一日长于百年》　　B.《百年孤独》

C.《第二十二条军规》　　D.《毛猿》

22. 古埃及最有代表性的作品是（　　）。

A.《亡灵书》　　B.《吉尔伽美什》

C.《梨俱吠陀》　　D.《罗摩衍那》

23. 古代印度婆罗门教的经书是（　　）。

A.《旧约》　　B.《新约》

C.《古兰经》　　D.《吠陀》

24. 散文集《蔷薇园》的作者是（　　）。

A. 鲁达基　　B. 菲尔多西

C. 萨迪　　D. 哈菲兹

25. 日本新思潮派的代表作家是（　　）。

A. 芥川龙之介　　B. 永井荷风

C. 谷崎润一郎　　D. 田山花袋

26.《先知》的作者纪伯伦是（　　）。

A.“旅美派”作家　　B. 白桦派作家

C.“埃及现代派”作家　　D. 新感觉派作家

二、多项选择题（本大题共6小题，每小题2分，共12分。在每小题列出的五个备选项中至少有两个是符合题目要求的，请将其代码填写在题后的括号内。错选、多选、少选或未选均无分。）

27.《伪君子》中的主要人物有（　　）。

A. 桃丽娜　　B. 答尔丢夫

C. 阿巴贡　　D. 奥尔贡

E. 唐璜

28.《浮士德》中的主人公在人生道路上经历的阶段有（　　）。

A. 知识悲剧　　B. 生活悲剧

C. 政治悲剧　　D. 美的悲剧

E. 事业悲剧

29. 巴尔扎克《高老头》中的人物形象有（　　）。

A. 伏脱冷　　B. 邦斯舅舅

C. 拉斯蒂涅　　D. 葛朗台

E. 鲍赛昂子爵夫人

30. 托尔斯泰的长篇小说有（　　）。

A.《塞瓦斯托波尔故事集》　　B.《战争与和平》

C.《安娜·卡列尼娜》　　D.《复活》

E.《卡拉马佐夫兄弟》

31. 希伯来民族文学总集《旧约》的组成部分有（　　）。

A. 律法书　　B. 历史书

C. 先知书　　D. 诗文集

E. 奥义书

32. 日本现代作家川端康成的作品有（　　）。

A.《伊豆的舞女》　　B.《雪国》

C.《千只鹤》　　D.《古都》

E.《名人》

第Ⅱ部分　非选择题（62 分）

三、名词解释题（本大题共 5 小题，每小题 4 分，共 20 分。）

33. 荷马史诗

34. “狂飙突进”运动

35. “多余人”形象

36. 海明威

37. 《沙恭达罗》

四、简答题（本大题共 3 小题，每小题 6 分，共 18 分。）

38. 简述“三一律”的内容。

39. 简述狄更斯《双城记》的人道主义思想。

40. 简述《一千零一夜》的思想内容。

五、论述题（本大题共 2 小题，每小题 12 分，共 24 分。）

41. 分析哈姆莱特形象。

42. 分析《罪与罚》中的心理描写。

全国高等教育自学考试
外国文学史模拟试卷（九）
参考答案

（课程代码　00540）

一、**单项选择题**（本大题共26小题，每小题1分，共26分。）

1. A	2. A	3. C	4. B	5. D	6. C	7. D
8. B	9. B	10. C	11. B	12. B	13. D	14. A
15. A	16. C	17. C	18. A	19. B	20. D	21. B
22. A	23. D	24. C	25. A	26. A		

二、**多项选择题**（本大题共6小题，每小题2分，共12分。）

27. ABD　28. ABCDE　29. ACE　30. BCD　31. ABCD　32. ABCDE

三、**名词解释题**（本大题共5小题，每小题4分，共20分。）

33. 答：荷马史诗包括《伊利昂纪》和《奥德修纪》，是古希腊最早的两部史诗，相传由诗人荷马所作。前者写部落战争，后者写战争结束后，奥德修斯在海上历经十年漂泊的传奇故事。

34. 答："狂飙突进"运动是18世纪70年代出现在德国的文学思潮，是启蒙运动的继续和发展。它主张个性解放，崇尚感情，提出"返回自然"，提倡民族意识。青年歌德和席勒是其代表人物。

35. 答："多余人"形象是19世纪俄国文学中贵族知识分子的一种典型，"多余人"形象具有较高文化修养，接受启蒙思想影响。厌倦上流社会生活，渴望有所作为，但又一无所成，其代表人物有奥涅金等。

36. 答：海明威是20世纪美国作家。他是迷惘的一代的代表作家，提出了“冰山原则”，塑造了“硬汉子”形象。其的代表作是《老人与海》。

37. 答：《沙恭达罗》是印度古代作家迦梨陀娑的戏剧代表作。它写尽修女沙恭达罗与国王豆扇陀之间的悲欢离合。沙恭达罗是一个受侮辱迫害又有不满的善良妇女典型。

四、简答题（本大题共3小题，每小题6分，共18分。）

38. 答：(1)“三一律”是17世纪法国古典主义戏剧创作的规则。

(2) 它要求一个剧本只能有一条情节线索，剧情只能发生在同一个地点，时间不能超过一昼夜。

(3) 它使戏剧具有了明晰、精练、紧凑的优点，但对戏剧创作也构成束缚。

39. 答：(1) 人道主义是贯穿狄更斯小说创作的一条红线。作者批判了英国资本主义社会，提倡宽恕、博爱。

(2) 人性是狄更斯人道主义的基础与出发点。

40. 答：(1)《一千零一夜》描写了爱情的自由和婚姻的幸福。

(2)《一千零一夜》反映了商人生活和海外冒险故事。

(3)《一千零一夜》描写了生活在社会底层的广大人民的悲惨处境，揭露了统治阶级穷奢极欲的生活。

五、论述题（本大题共2小题，每小题12分，共24分。）

41. 答：(1) 哈姆莱特是一个处于理想与现实矛盾中的人文主义者形象。

(2) 哈姆莱特是以人文主义观念指导爱情和友谊的“快乐的王子”。

(3) 哈姆莱特是人文主义理想和信念破灭，行为犹豫的“延宕的王子”。

(4) 哈姆莱特是深沉的思想家。

注：以上各点需要适当展开论述。

42. 答：(1)《罪与罚》突出的艺术特点是人物心理的刻画。

(2) 作品许多章节都有关于心理、意识甚至“潜意识”的描绘。

(3) 作者还设计了不少梦境和幻觉的场面来衬托潜在意识的过程。

(4) 作品通过心理描写把人物的矛盾性格描写得出神入化。

注：以上各点需要适当展开论述。

全国高等教育自学考试
外国文学史模拟试卷（十）

（课程代码 00540）

第Ⅰ部分 选择题（38分）

一、单项选择题（本大题共26小题，每小题1分，共26分。在每小题列出的四个备选项中只有一个是符合题目要求的，请将其代码填写在题后的括号内。错选、多选或未选均无分。）

1. 荷马史诗中描写部落战争的史诗是（ ）。
A.《伊利昂纪》 B.《奥德修纪》
C.《埃涅阿斯纪》 D.《俄狄浦斯王》
2. 标志着古希腊悲剧进入成熟阶段的诗人是（ ）。
A. 米南德 B. 索福克勒斯
C. 欧里庇得斯 D. 阿里斯托芬
3. 古罗马文艺理论家贺拉斯的代表作是（ ）。
A.《诗学》 B.《理想国》
C.《诗艺》 D.《会饮篇》
4. 中世纪法国英雄史诗《罗兰之歌》的主题是（ ）。
A. 集体主义 B. 英雄主义
C. 爱国主义 D. 个人主义
5. “人文主义之父”彼特拉克是（ ）。

A. 英国诗人　　B. 西班牙诗人
C. 法国诗人　　D. 意大利诗人

6. 塑造桑丘·潘沙形象的作品是（　　）。
A.《坎特伯雷故事集》　　B.《堂吉诃德》
C.《十日谈》　　D.《小癞子》

7. 意大利“马里诺诗派”是（　　）。
A. 巴洛克文学　　B. 启蒙主义文学
C. 感伤主义文学　　D. 浪漫主义文学

8. 古典主义悲剧《熙德》的作者是（　　）。
A. 布瓦洛　　B. 拉辛
C. 高乃依　　D. 弥尔顿

9. 哲理小说《老实人》的作者是（　　）。
A. 卢梭　　B. 伏尔泰
C. 龙沙　　D. 狄德罗

10.《草叶集》的作者惠特曼是（　　）。
A. 俄国作家　　B. 英国作家
C. 德国作家　　D. 美国作家

11. 长篇小说《悲惨世界》的主人公是（　　）。
A. 冉阿让　　B. 郭文
C. 西穆尔登　　D. 欧那尼

12.《叶甫盖尼·奥涅金》的作者是（　　）。
A. 普希金　　B. 茹科夫斯基
C. 莱蒙托夫　　D. 屠格涅夫

13. 欧洲现实主义文学思潮产生的时间是（　　）。
A. 18 世纪 50 年代　　B. 19 世纪 30 年代
C. 19 世纪 50 年代　　D. 20 世纪 30 年代

14. 世界文学史上第一部正面描写工人阶级生活和斗争的长篇小说是（　　）。
A.《母亲》　　B.《艰难时世》
C.《萌芽》　　D.《玛丽·巴顿》

15. 被称为“俄罗斯民族戏剧之父”的作家是（　　）。
A. 车尔尼雪夫斯基　　B. 别林斯基

C. 奥斯特洛夫斯基　　D. 陀思妥耶夫斯基

16. 长篇小说《红与黑》的故事背景是（　　）。

A. 王政复辟时期　　B. 拿破仑时代

C. 七月王朝时期　　D. 第二帝国时期

17. 莫泊桑创作的以普法战争为题材的著名小说是（　　）。

A.《羊脂球》　　B.《我的叔叔于勒》

C.《项链》　　D.《西蒙的爸爸》

18. 唯美主义文学的代表作家是（　　）。

A. 魏尔伦　　B. 左拉

C. 王尔德　　D. 夏多布里昂

19. 长篇小说《哈克贝利·费恩历险记》的作者是（　　）。

A. 欧·亨利　　B. 杰克·伦敦

C. 西奥多·德莱塞　　D. 马克·吐温

20.《第二十二条军规》是（　　）。

A. 表现主义戏剧　　B. 象征主义诗歌

C. 黑色幽默小说　　D. 魔幻现实主义小说

21. 卡夫卡的最后一部长篇小说是（　　）。

A.《美国》　　B.《城堡》

C.《审判》　　D.《变形记》

22. 萨特“境遇剧”的代表作是（　　）。

A.《禁闭》　　B.《墙》

C.《恶心》　　D.《存在与虚无》

23.《沙恭达罗》中的女主人公沙恭达罗是（　　）。

A. 净修女　　B. 牧羊女

C. 宫廷女　　D. 仙女

24.《一千零一夜》中反映商人航海冒险生活的阿拉伯故事是（　　）。

A.《巴士拉银匠哈桑的故事》　　B.《阿里巴巴与四十大盗》

C.《辛伯达航海旅行的故事》　　D.《阿拉丁和神灯》

25. “旅美派”的代表作家是（　　）。

A. 纪伯伦　　B. 塔哈·侯赛因

C. 泰戈尔　　D. 普列姆昌德

26. 阿拉伯作家马哈福兹获得诺贝尔文学奖的时间是（　　）。

A. 1913 年　　B. 1968 年

C. 1988 年　　D. 1995 年

二、多项选择题（本大题共 6 小题，每小题 2 分，共 12 分。在每小题列出的五个备选项中至少有两个是符合题目要求的，请将其代码填写在题后的括号内。错选、多选、少选或未选均无分。）

27. 希腊神话中争抢金苹果的女神有（　　）。

A. 海伦　　B. 雅典娜

C. 厄里斯　　D. 阿佛洛狄忒

E. 赫拉

28. 莎士比亚戏剧中出现的人物有（　　）。

A. 夏洛克　　B. 麦克白

C. 哈姆莱特　　D. 考狄莉亚

E. 奥赛罗

29. “湖畔派诗人”有（　　）。

A. 拜伦　　B. 雪莱

C. 柯勒律治　　D. 盛塞

E. 华兹华斯

30. 狄更斯的长篇小说有（　　）。

A.《匹克威克外传》　　B.《艰难时世》

C.《名利场》　　D.《呼啸山庄》

E.《双城记》

31.《约翰·克利斯朵夫》是（　　）。

A. 历史小说　　B. 长河小说

C. 音乐小说　　D. 复调小说

E. 哲理小说

32.《源氏物语》中塑造的主要贵族女性有（　　）。

A. 空蝉　　B. 浮刚

C. 藤壶中宫　　D. 女三宫

E. 六条御息所

第Ⅱ部分　非选择题（62分）

三、名词解释题（本大题共5小题，每小题4分，共20分。）

33. 埃斯库罗斯

34. “三一律”

35. 托尔斯泰主义

36.《等待戈多》

37. 驹子

四、简答题（本大题共 3 小题，每小题 6 分，共 18 分。）

38. 简述人文主义的基本特征。

39. 简析海明威笔下的“硬汉子”形象。

40. 简述《旧约》的价值和影响。

五、论述题（本大题共 2 小题，每小题 12 分，共 24 分。）

41. 论述《浮士德》的思想意义。

42. 论述《人间喜剧》的艺术成就。

全国高等教育自学考试
外国文学史模拟试卷（十）
参考答案

（课程代码　00540）

一、单项选择题（本大题共26小题，每小题1分，共26分。）

1. A	2. B	3. C	4. C	5. D	6. B	7. A
8. C	9. B	10. D	11. A	12. A	13. B	14. D
15. C	16. A	17. A	18. C	19. D	20. C	21. B
22. A	23. A	24. C	25. A	26. C		

二、多项选择题（本大题共6小题，每小题2分，共12分。）

27. BDE　　28. ABCDE　　29. CDE　　30. ABE　　31. BC　　32. ABCDE

三、名词解释题（本大题共5小题，每小题4分，共20分。）

33. 答：埃斯库罗斯被誉为古希腊“悲剧之父”，其代表作有《被缚的普罗修斯》等。他的作品虽多为悲剧，但都是反对暴政和侵略，充满了爱国思想和民主精神。

34. 答：“三一律”是法国古典主义戏剧的创作规则，即一个剧本只能有一个情节线索，剧情只能发生在同一地点，时间不准超过一昼夜。

35. 答：托尔斯泰主义揭露了现存制度和现实生活中的虚伪、荒谬之处，它宣扬了“勿以暴力抗恶”“道德自我完善”“博爱”等精神。

36. 答：《等待戈多》是荒诞派剧作家贝克特的代表作，它以两个流浪汉等待戈多为主要内容，表现了世界的荒诞和人生的痛苦。

37. 答：驹子是川端康成《雪国》中的女主人公，她心地善良、不甘沉沦，追求理想但虚幻的爱。

四、简答题（本大题共3小题，每小题6分，共18分。）

38. 答：人文主义主要有以下特征：

（1）以人性反对神权，修正了神权至高无上的思想。

（2）提倡科学，反对蒙昧主义。

（3）以个性解放反对禁欲主义。

（4）主张统一，反对封建割据。

39. 答：（1）他代表了海明威笔下的男性形象。

（2）这种“硬汉子”形象坚韧勇敢，不惧怕苦难与折磨，表现出精神上绝不可以被击垮的崇高气概。

（3）代表人物是圣地亚哥。

40. 答：（1）《旧约》既是希伯来民族的文献汇编和文学总集，也是犹太教的宗教经典，还是西方近代文化的两大书面源头之一。

（2）对西方文学艺术产生了重大影响，推动了西方近代民族国家的语言统一及其规范化。

五、论述题（本大题共2小题，每小题12分，共24分。）

41. 答：（1）浮士德中“灵”与“肉”的矛盾是人类自身复杂性的体现。

（2）其自强不息、积极进取、勇于探索的精神是处于上升时期的欧洲资产阶级优秀知识分子形象的写照。

（3）浮士德的人生经历是对自文艺复兴以来至启蒙运动时期欧洲历史的概括。

注：未结合作品内容具体阐述，可适当减分。

42. 答：《人间喜剧》的艺术成就主要有以下三点：

（1）把环境描写与人物的心理变化和精神状态糅合在一起。

（2）用高度集中和概括的手法理造了众多的典型性格。

（3）使用“人物再现法”，使《人间喜剧》形成一个艺术整体。

注：未结合作品内容具体阐述，可适当减分。

全国高等教育自学考试
外国文学史模拟试卷（十一）

（课程代码　00540）

第Ⅰ部分　选择题（38 分）

一、单项选择题（本大题共 26 小题，每小题 1 分，共 26 分。在每小题列出的四个备选项中只有一个是符合题目要求的，请将其代码填写在题后的括号内。错选、多选或未选均无分。）

1. 提出“寓教于乐”原则的古罗马诗人是（　　）。

A. 贺拉斯　　B. 维吉尔

C. 泰伦斯　　D. 西塞罗

2. 欧洲中世纪后期英雄史诗中最有代表性的作品是（　　）。

A.《贝奥武甫》　　B.《熙德之歌》

C.《罗兰之歌》　　D.《尼伯龙根之歌》

3.《神曲》中带领但丁游历天堂的是（　　）。

A. 维吉尔　　B. 爱斯梅拉达

C. 贺拉斯　　D. 贝雅特丽齐

4.《十日谈》的作者薄伽丘是（　　）。

A. 法国人　　B. 德国人

C. 英国人　　D. 意大利人

5. 文艺复兴时期法国作家拉伯雷的代表作是（　　）。

A.《项狄传》　　B.《堂吉诃德》

C.《巨人传》　　D.《天路历程》

6. 法国古典主义的立法者是（　　）。

A. 莫里哀　　B. 布瓦洛

C. 高乃依　　D. 拉辛

7. 英国作家笛福的代表作是（　　）。

A.《鲁滨孙漂流记》　　B.《格列佛游记》

C.《感伤的旅行》　　D.《恰尔德·哈洛尔德游记》

8.《巴黎圣母院》中代表天主教会恶势力的人物是（　　）。

A. 克罗德　　B. 丁梅斯代尔

C. 米里哀　　D. 卡西莫多

9. 19 世纪美国诗人惠特曼的代表作是（　　）。

A.《心声集》　　B.《草叶集》

C.《秋叶集》　　D.《抒情歌谣集》

10. 俄国文学史上的第一个“多余人”形象是（　　）。

A. 奥涅金　　B. 罗事

C. 毕巧林　　D. 奥勃洛摩夫

11. 法国小说《卡门》的作者是（　　）。

A. 福楼拜　　B. 缪塞

C. 梅里美　　D. 乔治·桑

12. 被称为“俄罗斯民族戏剧之父”的作家是（　　）。

A. 果戈理　　B. 车尔尼雪夫斯基

C. 契诃夫　　D. 奥斯特洛夫斯基

13. 长篇小说《简·爱》的作者是（　　）。

A. 夏洛蒂. 勃朗特　　B. 盖斯凯尔夫人

C. 艾米莉. 勃朗特　　D. 乔治·艾略特

14. 都德小说《最后的一课》的背景是（　　）。

A. 英法战争　　B. 七月革命

C. 普法战争　　D. 三十年战争

15. 马克·吐温的作品，《竞选州长》的体裁是（　　）。

A. 短篇小说　　B. 戏剧

C. 长篇小说　　D. 叙事诗

16.《等待戈多》的作者是（　　）。

A. 阿尔比　　B. 品特

C. 贝克特　　D. 尤奈斯库

17. 美国作家约瑟夫·海勒是（　　）。

A.“黑色幽默”作家　　B.“垮掉的一代”作家

C. 超现实主义作家　　D.“迷惘的一代”作家

18.《静静的顿河》的男主人公是（　　）。

A. 葛利高里　　B. 彼得罗

C. 圣地亚哥　　D. 高里奥

19.《永别了，武器》的作者是（　　）。

A. 德莱塞　　B. 贝科夫

C. 海明威　　D. 雷马克

20. 苏联“全景小说”《生者与死者》的作者是（　　）。

A. 西蒙诺夫　　B. 邦达列夫

C. 法捷耶夫　　D. 恰科夫斯基

21. 世界上迄今发现最早最完整的史诗是（　　）。

A.《罗摩衍那》　　B.《摩诃婆罗多》

C.《列王纪》　　D.《吉尔伽美什》

22. 印度古代第一部诗歌总集是（　　）。

A.《梨俱吠陀》　　B.《夜柔吠陀》

C.《娑摩吠陀》　　D.《阿闼婆吠陀》

23. 日本古代物语文学的最高成就是（　　）。

A.《竹取物语》　　B.《源氏物语》

C.《伊势物语》　　D.《平家物语》

24. 泰戈尔长篇小说《沉船》的男主人公是（　　）。

A. 罗梅西　　B. 戈拉

C. 戈巴尔　　D. 摩诃摩耶

25. 1986 年获得诺贝尔文学奖的尼日利亚作家是（　　）。

A. 奥诺约　　B. 阿契贝

C. 索因卡　　D. 戈迪默

26. 普列姆昌德的代表作是（ ）。

A.《博爱新村》

B.《戈丹》

C.《祖国的痛楚》

D.《服务院》

二、多项选择题（本大题共6小题，每小题2分，共12分。在每小题列出的五个备选项中至少有两个是符合题目要求的，请将其代码填写在题后的括号内。错选、多选、少选或未选均无分。）

27. 古希腊悲剧诗人有（ ）。

A. 埃斯库罗斯

B. 索福克勒斯

C. 阿里斯托芬

D. 欧里庇得斯

E. 米南德

28. 莎士比亚的悲剧作品有（ ）。

A.《麦克白》

B.《哈姆莱特》

C.《李尔王》

D.《威尼斯商人》

E.《奥赛罗》

29. 17世纪欧洲文学主要包括（ ）。

A. 巴洛克文学

B. 法国古典主义文学

C. 感伤主义文学

D. 英国资产阶级革命文学

E. 启蒙主义文学

30.《双城记》中塑造的人物形象有（ ）。

A. 梅尼特

B. 劳雷

C. 代尔那

D. 厄弗里蒙地

E. 卡尔登

31. 欧·亨利的主要短篇小说有（ ）。

A.《麦琪的礼物》

B.《项链》

C.《警察与赞美诗》

D.《嘉丽妹妹》

E.《最后一片藤叶》

32. 夏目漱石的作品有（ ）。

A.《浮云》

B.《破戒》

C.《我是猫》

D.《棉被》

E.《三四郎》

第Ⅱ部分　非选择题（62 分）

三、名词解释题（本大题共 5 小题，每小题 4 分，共 20 分。）

33. 七星诗社

34. 拜伦

35. 《红与黑》

36. 存在主义文学

37. “悬诗”

四、简答题（本大题共3小题，每小题6分，共18分。）

38. 简述浮士德与靡非斯托之间的辩证关系。

39. 简述《死魂灵》的艺术特点。

40. 简析《雪国》中的驹子形象。

五、论述题（本大题共 2 小题，每小题 12 分，共 24 分。）

41. 论述荷马史诗的艺术成就。

42. 分析拉斯蒂涅形象。

全国高等教育自学考试
外国文学史模拟试卷（十一）
参考答案

（课程代码　00540）

一、单项选择题（本大题共 26 小题，每小题 1 分，共 26 分。）

1. A	2. C	3. D	4. D	5. C	6. B	7. A
8. A	9. B	10. A	11. C	12. D	13. A	14. C
15. A	16. C	17. A	18. A	19. C	20. A	21. D
22. A	23. B	24. A	25. C	26. B		

二、多项选择题（本大题共 6 小题，每小题 2 分，共 12 分。）

27. ABD　28. ABCE　29. ABD　30. ABCDE　31. ACE　32. CE

三、名词解释题（本大题共 5 小题，每小题 4 分，共 20 分。）

33. 答：七星诗社是文艺复兴时期法国的诗人团体。该团体由七个诗人组成，研究借鉴古希腊罗马文学，革新法兰西诗歌形式。该团体的代表诗人是龙沙。

34. 答：拜伦是 19 世纪英国浪漫主义文学代表作家。他塑造了一系列高傲、孤独、倔强的反叛者形象。他的代表作有《唐璜》。

35. 答：《红与黑》是斯丹达尔的长篇小说，它是现实主义文学的奠基之作，具有强烈的政治倾向。《红与黑》塑造了个人奋斗者于连的形象，它在艺术结构、心理分析方面有突出成就。

36. 答：存在主义文学是 20 世纪 30 年代末期产生于法国的现代主义文学流

派。它以文学形式宣传存在主义哲学思想，表现世界荒诞、人生痛苦。它的代表作家有萨特等。

37. 答："悬诗"是阿拉伯蒙昧时期诗歌的最高成就。当时，在欧卡兹集市举行每年都会举行赛诗活动，然后将获选诗作书写悬挂于"克尔白"天房。"悬诗"主要写凭吊、爱情、游历、自然风光等内容，其中最著名的诗人是乌鲁勒·盖斯。

四、简答题（本大题共 3 小题，每小题 6 分，共 18 分。）

38. 答：（1）浮士德代表肯定精神，靡非斯托代表否定精神，是恶的代表。

（2）靡非斯托的恶促成了浮士德的向善。

39. 答：（1）用写实手法，调动多种艺术手段刻画人物性格。

（2）充满抒情色彩。

40. 答：（1）驹子是川端康成小说《雪国》的主人公。

（2）代表了出身卑微但不甘沉沦的下层妇女形象。

（3）驹子虽历经了生活的磨难，但仍坚持写日记、读小说、学二弦，追求真挚爱情。

五、论述题（本大题共 2 小题，每小题 12 分，共 24 分。）

41. 答：（1）塑造了众多的个性鲜明的英雄形象。

（2）结构紧凑，安排巧妙。

（3）语言流畅自然，比喻生动形象。

注：未结合作品内容具体阐述，可适当减分。

42. 答：（1）拉斯蒂涅是巴尔扎克小说《高老头》中的青年野心家典型。

（2）堕落过程中"人生二课"起到决定作用。

注：未结合作品内容具体阐述，可适当减分。

全国高等教育自学考试
外国文学史模拟试卷（十二）

（课程代码 00540）

第Ⅰ部分 选择题（38分）

一、单项选择题（本大题共26小题，每小题1分，共26分。在每小题列出的四个备选项中只有一个是符合题目要求的，请将其代码填写在题后的括号内。错选、多选或未选均无分。）

1. 古希腊喜剧的起源是（ ）。

A. 祖先崇拜　　B. 酒神祭祀

C. 英雄崇拜　　D. 日神祭祀

2. 欧洲第一部文人史诗是（ ）。

A.《埃涅阿斯纪》　　B.《伊利昂纪》

C.《奥德修纪》　　D.《变形记》

3.《列那狐传奇》属于中世纪欧洲的（ ）。

A. 骑士文学　　B. 英雄史诗

C. 教会文学　　D. 城市文学

4. 在《神曲》中带领但丁游历地狱的古罗马诗人是（ ）。

A. 奥维德　　B. 维吉尔

C. 米南德　　D. 贺拉斯

5. 有“西班牙戏剧之父”之称的作家是（ ）。

A. 维加　　B. 龙沙

C. 马洛　　D. 塞万提斯

6. 拉伯雷的代表作是（　　）。

A.《十日谈》　　B.《歌集》

C.《巨人传》　　D.《坎特伯雷故事集》

7. 古典主义戏剧创作规则中影响最大的是（　　）。

A. “三一律”　　B. “冰山原则”

C. “美丑对照原则”　　D. “间离效果”

8. 塑造阿巴贡这一喜剧形象的作品是（　　）。

A.《妇人学堂》　　B.《吝啬鬼》

C.《恨世者》　　D.《史嘉本的诡计》

9.《弃儿汤姆·琼斯的故事》的作者是（　　）。

A. 斯特恩　　B. 笛福

C. 理查逊　　D. 菲尔丁

10. 18 世纪“狂飙突进”运动的发生地是（　　）。

A. 法国　　B. 英国

C. 德国　　D. 俄国

11. 被恩格斯誉为“天才的预言家”的英国诗人是（　　）。

A. 雨果　　B. 拜伦

C. 雪莱　　D. 济慈

12. 塑造了加西莫多形象的作品是（　　）。

A.《笑面人》　　B.《悲惨世界》

C.《九三年》　　D.《巴黎圣母院》

13. 果戈理小说《死魂灵》中购买“死魂灵”的投机者是（　　）。

A. 玛尼洛夫　　B. 乞乞科夫

C. 诺兹德寥夫　　D. 泼留希金

14.《拉辛与莎士比亚》的作者是（　　）。

A. 斯丹达尔　　B. 梅里美

C. 巴尔扎克　　D. 乔治·桑

15. 莱蒙托夫塑造“多余人”形象的作品是（　　）。

A.《童僧》　　B.《诗人之死》

C.《恶魔》　　D.《当代英雄》

16. 陀思妥耶夫斯基描写狱中囚犯生活的著作是（　　）。

A.《脆弱的心》　　B.《死屋手记》

C.《舅舅的梦》　　D.《地下室手记》

17. 组织梅塘别墅集会的作家是（　　）。

A. 左拉　　B. 莫泊桑

C. 都德　　D. 福楼拜

18. 马克·吐温最有代表性的长篇小说是（　　）。

A.《竞选州长》　　B.《汤姆·索亚历险记》

C.《哈克贝利·费恩历险记》　　D.《败坏了赫德莱堡的人》

19. 苏联小说《解冻》的作者是（　　）。

A. 爱伦堡　　B. 格罗斯曼

C. 索尔仁尼琴　　D. 法捷耶夫

20. 长篇小说《恰特莱夫人的情人》的作者是（　　）。

A. 康拉德　　B. 福斯特

C. 劳伦斯　　D. 戈尔丁

21. 古代印度文学史上最杰出的诗人和剧作家是（　　）。

A. 迦梨陀娑　　B. 萨迪

C. 菲尔多西　　D. 鲁达基

22. 古代巴比伦神话故事的总汇是（　　）。

A.《罗摩衍那》　　B.《亡灵书》

C.《吉尔伽美什》　　D.《摩诃婆罗多》

23. 川端康成的第一部中篇小说是（　　）。

A.《千只鹤》　　B.《雪国》

C.《伊豆的舞女》　　D.《古都》

24. 普列姆昌德的长篇小说《戈丹》的主人公是（　　）。

A. 戈拉　　B. 丹妮亚

C. 戈丹　　D. 何利

25. 夏目漱石的代表作《我是猫》是（　　）。

A. 讽刺小说　　B. 抒情诗

C. 历史小说　　D. 叙事诗

26. 阿拉伯“旅美派”文学的领袖是（　　）。

A. 泰戈尔　　B. 纳吉布·马哈福兹

C. 纪伯伦　　D. 塔哈·侯赛因

二、多项选择题（本大题共 6 小题，每小题 2 分，共 12 分。在每小题列出的五个备选项中至少有两个是符合题目要求的，请将其代码填写在题后的括号内。错选、多选、少选或未选均无分。）

27. 荷马史诗中塑造的英雄有（　　）。

A. 阿喀琉斯　　B. 奥德修斯

C. 赫克托耳　　D. 阿伽门农

E. 俄狄浦斯

28. 莎士比亚的喜剧作品有（　　）。

A.《威尼斯商人》　　B.《第十二夜》

C.《亨利四世》　　D.《皆大欢喜》

E.《麦克白》

29. 17 世纪欧洲古典主义作家有（　　）。

A. 拉辛　　B. 高乃依

C. 拉封丹　　D. 布瓦洛

E. 莫里哀

30.《安娜·卡列尼娜》里的主要人物有（　　）。

A. 安娜　　B. 玛丝洛娃

C. 列文　　D. 渥伦斯基

E. 卡列宁

31. 卡夫卡的主要作品有（　　）。

A.《美国》　　B.《城堡》

C.《审判》　　D.《禁闭》

E.《变形记》

32. 泰戈尔的主要诗集有（　　）。

A.《吉檀迦利》　　B.《园丁集》

C.《新月集》　　D.《飞鸟集》

E.《沉船》

第Ⅱ部分　非选择题（62分）

三、名词解释题（本大题共5小题，每小题4分，共20分。）

33. 骑士文学

34. 流浪汉小说

35. 巴尔扎克

36. “社会问题剧”

37.《源氏物语》

四、简答题（本大题共 3 小题，每小题 6 分，共 18 分。）

38. 简析葛利高里形象。

39. 简述后期象征主义的特征。

40. 简述《旧约》的基本内容。

五、论述题（本大题共2小题，每小题12分，共24分。）

41. 分析浮士德形象及其与靡非斯托的辩证关系。

42. 论述狄更斯《双城记》的人道主义思想。

全国高等教育自学考试
外国文学史模拟试卷（十二）
参考答案

（课程代码　00540）

一、单项选择题（本大题共 26 小题，每小题 1 分，共 26 分。）

1. B	2. A	3. D	4. B	5. A	6. C	7. A
8. B	9. D	10. C	11. C	12. D	13. B	14. A
15. D	16. B	17. A	18. C	19. A	20. C	21. A
22. C	23. B	24. D	25. A	26. C		

二、多项选择题（本大题共 6 小题，每小题 2 分，共 12 分。）

27. ABCD　28. ABD　29. ABCDE　30. ACDE　31. ABCE　32. ABCD

三、名词解释题（本大题共 5 小题，每小题 4 分，共 20 分。）

33. 答：骑士文学是欧洲封建骑士制度的产物、世俗封建主的文学，它肯定了对现实生活的追求。骑士文学分为骑士抒情诗和骑士叙事诗，法国成就最高。

34. 答：流浪汉小说是 16 世纪中叶出现于西班牙的一种新型小说。它基本上取材于现实生活，主人公大多为无业游民。该小说是通过主人公的经历和所见所闻来安排各种生活场景，其代表作是无名氏的《小癞子》。

35. 答：巴尔扎克是 19 世纪法国现实主义作家，他创作了由九十多部小说组成的《人间喜剧》，深刻反映了波旁王朝复辟时期法国生活，被誉为法国社会生活的百科全书。

36. 答："社会问题剧"是易卜生创作的系列戏剧作品。它以日常生活为素材，多方面剖析社会问题，启发观众思考，引导人们改革社会弊端，其代表作有《玩偶之家》。

37. 答：《源氏物语》是日本平安时期物语文学的集大成之作，它的作者为紫式部。该书通过主人公源氏政治上的沉浮和情感上的悲欢，展示了平安王朝宫廷贵族的生活与命运。

四、简答题（本大题共 3 小题，每小题 6 分，共 18 分。）

38. 答：（1）葛利高里是《静静的顿河》的主人公，他富有"人的魅力"。

（2）葛利高里勇敢善战、勤劳热情、诚实正直，同时受哥萨克落后传统和道德偏见影响，盲目崇拜军人荣誉。

（3）葛利高里爱好思考，勤于探索。

39. 答：（1）后期象征主义的象征主要是理智的象征。

（2）后期象征主义表现人物自我和内心的"最高真实"；采用象征、暗示、隐喻、联想等手法，主张以"客观对应物"把作者"思想知觉化"；强调诗歌的音乐性。

40. 答：《旧约》的基本内容有律法书、历史书、先知书、诗文集。

五、论述题（本大题共 2 小题，每小题 12 分，共 24 分。）

41. 答：（1）他们都是歌德代表作《浮士德》中的主人公。

（2）他们在人生道路上经历了五个阶段，表现出"灵"与"肉"的矛盾，体现了普通人所具有的两重性特征。

（3）浮士德是处在上升时期欧洲资产阶级优秀知识分子形象的概括。

（4）浮士德不断地寻求真、善、美，体现了肯定的精神；靡非斯托体现了否定的精神，是恶的代表，促成了浮士德的向善。

注：要求结合作品内容具体阐述。

42. 答：（1）它肯定了法国大革命的必然性与正义性，反对了革命暴力和大规模的群众运动。

（2）它宣扬仁爱、宽恕，塑造了梅尼特、代尔那、卡尔登等一系列道德高尚的人物 。

（3）人道主义贯穿狄更斯创作的始终，是评价人物和各种现象的基本出发点。

注：要求结合作品内容具体阐述。

全国高等教育自学考试
外国文学史模拟试卷（十三）

（课程代码　00540）

第Ⅰ部分　选择题（38分）

一、单项选择题（本大题共26小题，每小题1分，共26分。在每小题列出的四个备选项中只有一个是符合题目要求的，请将其代码填写在题后的括号内。错选、多选或未选均无分。）

1. 维吉尔的代表作是（　　）。

A.《伊利昂纪》　　B.《埃涅阿斯纪》

C.《变形记》　　D.《奥德修纪》

2. 被誉为古希腊“悲剧之父”的诗人是（　　）。

A. 埃斯库罗斯　　B. 索福克勒斯

C. 欧里庇德斯　　D. 阿里斯托芬

3. 中世纪后期法国的英雄史诗是（　　）。

A.《熙德之歌》　　B.《尼伯龙根之歌》

C.《罗兰之歌》　　D.《伊戈尔远征记》

4.《堂吉诃德》中的仆人形象是（　　）。

A. 靡非斯托　　B. 庞大固埃

C. 伊阿古　　D. 桑丘·潘沙

5. 塑造出高利贷者夏洛克形象的作品是（　　）。

A.《第十二夜》　B.《皆大欢喜》
C.《威尼斯商人》　D.《吝啬鬼》

6. 古典主义悲剧的创始人高乃依是（　　）。
A. 英国人　B. 法国人
C. 西班牙人　D. 德国人

7.《伪君子》中塑造的女仆形象是（　　）。
A. 桃丽娜　B. 答尔丢夫
C. 奥尔贡　D. 苔丝狄蒙娜

8.《鲁滨孙漂流记》的作者是（　　）。
A. 菲尔丁　B. 笛福
C. 理查逊　D. 斯特恩

9. 18 世纪英国作家斯威夫特的代表作是（　　）。
A.《感伤的旅行》　B.《格利佛游记》
C.《弃儿汤姆·琼斯的故事》　D.《老实人》

10. 美国浪漫主义诗歌《草叶集》的作者是（　　）。
A. 欧文　B. 爱伦·坡
C. 霍桑　D. 惠特曼

11. 普希金的代表作是（　　）。
A.《狄康卡近乡夜话》　B.《当代英雄》
C.《叶甫盖尼·奥涅金》　D.《钦差大臣》

12. 福楼拜发表的第一部长篇小说是（　　）。
A.《高龙巴》　B.《卡门》
C.《包法利夫人》　D.《金钱问题》

13. 标志巴尔扎克严肃文学创作的开始是（　　）。
A.《舒昂党人》　B.《乡村医生》
C.《驴皮记》　D.《苏镇舞会》

14.《双城记》中揭露侯爵罪行的人是（　　）。
A. 梅尼特医生　B. 得伐石太太
C. 代尔那　D. 卡尔登

15. 长篇小说《死魂灵》的作者是（　　）。
A. 果戈理　B. 屠格涅夫

C. 托尔斯泰　　D. 冈察洛夫

16. 标志马克·吐温晚年创作风格转向的作品是（　　）。

A.《竞选州长》　　B.《镀金时代》

C.《汤姆·索亚历险记》　　D.《败坏了赫德莱堡的人》

17. 提出"史诗式戏剧"的作家是（　　）。

A. 托马斯·曼　　B. 布莱希特

C. 黑塞　　D. 雷马克

18. 苏联长篇小说《静静的顿河》的作者是（　　）。

A. 肖洛霍夫　　B. 格罗斯曼

C. 法捷耶夫　　D. 索尔仁尼琴

19. 意识流小说的代表作家是（　　）。

A. 里尔克　　B. 瓦莱里

C. 乔伊斯　　D. 博尔赫斯

20. 长篇小说《城堡》的作者是（　　）。

A. 艾略特　　B. 福克纳

C. 奥尼尔　　D. 卡夫卡

21.《旧约》中的哲理诗剧是（　　）。

A.《雅歌》　　B.《耶利米哀歌》

C.《约伯记》　　D.《路得记》

22. 古代印度作家迦梨陀娑的戏剧代表作是（　　）。

A.《云使》　　B.《沙恭达罗》

C.《小泥车》　　D.《五卷书》

23.《源氏物语》的作者是（　　）。

A. 光源氏　　B. 空蝉

C. 紫姬　　D. 紫式部

24.《我是猫》的作者夏目漱石是（　　）。

A. 印度作家　　B. 日本作家

C. 阿拉伯作家　　D. 波斯作家

25. 印度现代长篇小说《戈丹》的作者是（　　）。

A. 泰戈尔　　B. 普列姆昌德

C. 伊克巴尔　　D. 克里山·钱达尔

26. 第一位获得诺贝尔文学奖的阿拉伯作家是（　　）。

A. 塔哈·侯赛因　　B. 纳吉布·马哈福兹

C. 纪伯伦　　D. 索因卡

二、多项选择题（本大题共 6 小题，每小题 2 分，共 12 分。在每小题列出的五个备选项中至少有两个是符合题目要求的，请将其代码填写在题后的括号内。错选、多选、少选或未选均无分。）

27. 莎士比亚的“四大悲剧”是指（　　）。

A.《哈姆莱特》　　B.《奥赛罗》

C.《雅典的泰门》　　D.《麦克白》

E.《李尔王》

28. 卢梭创作的小说有（　　）。

A.《新爱洛伊丝》　　B.《老实人》

C.《爱弥儿》　　D.《忏悔录》

E.《拉摩的侄儿》

29. 被称为“撒旦派”或“恶魔派”的 19 世纪英国诗人有（　　）。

A. 华兹华斯　　B. 拜伦

C. 雪莱　　D. 济慈

E. 海涅

30. 19 世纪俄国文学中塑造“小人物”形象的作家有（　　）。

A. 普希金　　B. 果戈理

C. 陀思妥耶夫斯基　　D. 莱蒙托夫

E. 契诃夫

31. 荒诞派戏剧的代表作家有（　　）。

A. 尤奈斯库　　B. 罗伯·格里耶

C. 马里内蒂　　D. 贝克特

E. 马雅可夫斯基

32. 古代印度著名的史诗有（　　）。

A.《罗摩衍那》　　B.《吉尔伽美什》

C.《摩诃婆罗多》　　D.《亡灵书》

E.《吠陀》

第Ⅱ部分　非选择题（62 分）

三、名词解释题（本大题共 5 小题，每小题 4 分，共 20 分。）

33. 索福克勒斯

34. 巴洛克文学

35. “湖畔派诗人”

36.《安娜·卡列尼娜》

37.“黑色幽默”

四、简答题（本大题共3小题，每小题6分，共18分。）

38. 简述《悲惨世界》的主题。

39. 简述《百年孤独》的艺术特色。

40. 简述《旧约》的文学特色。

五、论述题（本大题共2小题，每小题12分，共24分。）

41. 分析浮士德的形象。

42. 论述“人生三课”对拉斯蒂涅形象的意义。

全国高等教育自学考试
外国文学史模拟试卷（十三）
参考答案

（课程代码 00540）

一、单项选择题（本大题共 26 小题，每小题 1 分，共 26 分。）

1. B	2. A	3. C	4. D	5. C	6. B	7. A
8. B	9. B	10. D	11. C	12. C	13. A	14. A
15. A	16. D	17. B	18. A	19. C	20. D	21. C
22. B	23. D	24. B	25. B	26. B		

二、多项选择题（本大题共 6 小题，每小题 2 分，共 12 分。）

27. ABDE　28. ACD　29. BCD　30. ABCE　31. AD　32. AC

三、名词解释题（本大题共 5 小题，每小题 4 分，共 20 分。）

33. 答：索福克勒斯是古希腊著名的悲剧作家，其代表作是《俄狄浦斯王》。他笔下的悲剧主要表现个人意志与命运的冲突，其创作标志着希腊悲剧进入成熟阶段。

34. 答：巴洛克文学是 17 世纪欧洲的一种文学创作。它在内容上偏重表现宗教狂热，用词华丽，叙述风格扑朔迷离。其代表作品是卡尔德隆的《人生如梦》。

35. 答："湖畔派诗人"是 19 世纪英国浪漫主义的文学流派，包括华兹华斯、柯勒律治和骚塞。他们厌恶城市文明，隐居在英国西北部的昆布兰湖区，缅怀中世纪，赞美宗法制农村生活。

36. 答：《安娜·卡列尼娜》是托尔斯泰的长篇小说。它通过安娜追求爱情自由和列文探索社会出路，反映俄国社会的变动，表达了作者对理想社会和人生的探求。

37. 答：“黑色幽默”是20世纪60年代兴起于美国的小说流派。受存在主义哲学思想的影响，它更善于使用喜剧形式表现悲剧内容，其代表作家有海勒等。

四、简答题（本大题共3小题，每小题6分，共18分。）

38. 答：（1）从人道主义出发，对劳动人民的苦难命运表示关注和同情。

（2）对资本主义的法律进行了猛烈批判。

（3）对共和主义英雄和巴黎人民起义进行热情歌颂。

（4）宣扬了作者企图以仁爱感化、开办慈善事业解决社会矛盾的人道主义理想。

39. 答：（1）它结合了魔幻与现实，用魔幻的成分丰富了现实。

（2）象征和暗示手法的大量运用。

40. 答：（1）它反映了希伯来民族的发展和历代王国的历史。

（2）体现了希伯来民族一千多年的生活和精神面貌。

（3）描绘了它在原始氏族社会末期和奴隶制初期的社会现实。

五、论述题（本大题共2小题，每小题12分，共24分。）

41. 答：（1）浮士德在人生道路上经历了五个阶段。他既受本能欲望的驱使，追求权势、名利、地位和女人等，又能摆脱诱惑，不断向更高的目标奋进。这种“灵”与“肉”的矛盾，体现了普通人所具有的两重性特征，实质上是人类自身复杂性的体现。

（2）浮士德是一个自强不息的探索者形象，是一种积极进取精神的代表，是欧洲资产阶级上升时期的优秀知识分子形象的概括。

注：以上各点需要适当展开论述。

42. 答：（1）拉斯蒂涅是《高老头》中青年野心家的典型。

（2）鲍赛昂子爵夫人给他上了社会教育的第一课。

（3）伏脱冷给他上了第二课。

（4）高老头之死完成了他的社会教育。

（5）埋葬了高老头的同时也埋葬了他年轻人的最后一滴眼泪。

注：以上各点需要适当展开论述。

全国高等教育自学考试
外国文学史模拟试卷（十四）

（课程代码　00540）

第Ⅰ部分　选择题（38分）

一、单项选择题（本大题共26小题，每小题1分，共26分。在每小题列出的四个备选项中只有一个是符合题目要求的，请将其代码填写在题后的括号内。错选、多选或未选均无分。）

1.《伊利昂纪》中最勇猛的希腊联军主将是（　　）。

A. 奥德修斯　　B. 帕里斯

C. 赫克托耳　　D. 阿喀琉斯

2. 世界文学史上第一部文人史诗是（　　）。

A.《创世记》　　B.《士师记》

C.《吉事记》　　D.《埃涅阿斯纪》

3.《神曲》中带领诗人游历地狱和炼狱的维吉尔是（　　）。

A. 古希腊人　　B. 德国人

C. 古罗马人　　D. 法国人

4. 中世纪欧洲表达世俗封建主感情的文学是（　　）。

A. 英雄史诗　　B. 骑士文学

C. 流浪汉小说　　D. 城市文学

5. 被称为“人文主义之父”的作家是（　　）。

A. 彼特拉克　　B. 薄伽丘

C. 塞万提斯　　D. 拉伯雷

6. 托马斯·莫尔的主要著作是（　　）。

A.《巨人传》　　B.《乌托邦》

C.《十日谈》　　D.《奴曼西亚》

7. 下列属于《堂吉诃德》中的人物形象的是（　　）。

A. 桑丘·潘沙　　B. 哈姆雷特

C. 日瓦戈医生　　D. 梅尼特医生

8. 古典主义戏剧创作规划中影响最大的是（　　）。

A. “三一律”　　B. 情节丰富

C. “人物再现法”　　D. 象征寓意

9.《安德洛玛克》的作者是（　　）。

A. 高乃依　　B. 拉辛

C. 莫里哀　　D. 拉封丹

10. 歌德在《浮士德》中塑造的魔鬼形象是（　　）。

A. 伏脱冷　　B. 克洛德

C. 答尔丢夫　　D. 靡非斯托

11. 伏尔泰最出色的哲理小说是（　　）。

A.《天真汉》　　B.《查第格》

C.《老实人》　　D.《拉摩的侄儿》

12. 提出“回到中世纪”口号的文学思潮是（　　）。

A. 自然主义　　B. 浪漫主义

C. 现实主义　　D. 现代主义

13. 被恩格斯称为“天才的预言家”的诗人是（　　）。

A. 拜伦　　B. 雪莱

C. 济慈　　D. 惠特曼

14. 俄国文学史上最后一个“多余人”形象是（　　）。

A. 奥涅金　　B. 别尔托夫

C. 别尔金　　D. 奥勃洛摩夫

15. 下列属于福楼拜代表作的是（　　）。

A.《卡门》　　B.《高龙巴》

C.《包法利夫人》 D.《茶花女》

16. 下列属于狄更斯的第一部长篇小说的是（　　）。

A.《双城记》 B.《大卫·科波菲尔》

C.《远大前程》 D.《匹克威克外传》

17. 首倡自然主义的法国作家是（　　）。

A. 波德莱尔 B. 左拉

C. 龚古尔兄弟 D. 戈蒂耶

18. 塑造了列文形象的作品是（　　）。

A.《复活》 B.《一个地主的早晨》

C.《安娜·卡列尼娜》 D.《战争与和平》

19.《汤姆·索亚历险记》的作者是（　　）。

A. 海明威 B. 霍桑

C. 德莱塞 D. 马克·吐温

20.《恰特莱夫人的情人》的作者是（　　）。

A. 萨特 B. 戈尔丁

C. 劳伦斯 D. 福斯特

21. 上古埃及保存文字作品的主要材料是（　　）。

A. 贝叶 B. 纸草卷

C. 竹简 D. 羊皮纸

22. 古代巴比伦的英雄史诗是（　　）。

A.《摩诃婆罗多》 B.《耶利米哀歌》

C.《吉尔伽美什》 D.《罗摩衍那》

23. 魔法咒语“开门吧，芝麻芝麻”出自阿拉伯故事（　　）。

A.《阿拉丁和神灯》 B.《巴格达窃贼》

C.《乌木马的故事》 D.《阿里巴巴和四十大盗》

24. 日本作家夏目漱石的代表作《我是猫》是（　　）。

A. 长篇叙事诗 B. 讽刺喜剧

C. 长篇讽刺小说 D. 短篇讽刺小说

25. 泰戈尔获得诺贝尔文学奖的时间是（　　）。

A. 1913 年 B. 1924 年

C. 1931 年 D. 1941 年

26. 阿拉伯现代著名作家塔哈·侯赛因是（　　）。

A. 白桦派作家　　B. 新感觉派作家

C. 旅美派作家　　D. 埃及现代派作家

二、多项选择题（本大题共6小题，每小题2分，共12分。在每小题列出的五个备选项中至少有两个是符合题目要求的，请将其代码填写在题后的括号内。错选、多选、少选或未选均无分。）

27. 中世纪的早期英雄史诗主要有（　　）。

A.《贝奥武甫》　　B.《熙德之歌》

C.《卡列瓦拉》　　D.《希尔德布兰特之歌》

E.《罗兰之歌》

28. 莎士比亚的传奇剧有（　　）。

A.《奥赛罗》　　B.《冬天的故事》

C.《暴风雨》　　D.《雅典的泰门》

E.《辛白林》

29.《人间喜剧》包括的几大部分有（　　）。

A. 风俗研究　　B. 经济研究

C. 哲学研究　　D. 综合研究

E. 分析研究

30. 海明威的作品有（　　）。

A.《愤怒的葡萄》　　B.《太阳照常升起》

C.《永别了，武器》　　D.《丧钟为谁而鸣》

E.《老人与海》

31. 法国象征主义文学的诗人有（　　）。

A. 雨果　　B. 魏尔伦

C. 兰波　　D. 马拉美

E. 波德莱尔

32. 萨迪的作品有（　　）。

A.《五卷诗》　　B.《果园》

C.《列王纪》　　D.《春园》

E.《蔷薇园》

第Ⅱ部分　非选择题（62 分）

三、名词解释题（本大题共 5 小题，每小题 4 分，共 20 分。）

33. 教会文学

34. 哈姆莱特

35. 莫里哀

36. “威塞克斯小说”

37. 《吠陀》

四、简答题（本大题共 3 小题，每小题 6 分，共 18 分。）

38. 简析阿喀琉斯形象。

39. 简述萨特《禁闭》的思想意义。

40. 简述《戈拉》的艺术特色。

五、论述题（本大题共 2 小题，每小题 12 分，共 24 分。）

41. 分析于连・索黑尔的形象。

42. 论述现代主义文学的基本特征。

全国高等教育自学考试
外国文学史模拟试卷（十四）
参考答案

（课程代码　00540）

一、单项选择题（本大题共 26 小题，每小题 1 分，共 26 分。）

1. D	2. D	3. C	4. B	5. A	6. B	7. A
8. A	9. B	10. D	11. C	12. B	13. B	14. D
15. C	16. D	17. C	18. C	19. D	20. C	21. B
22. C	23. D	24. C	25. A	26. D		

二、多项选择题（本大题共 6 小题，每小题 2 分，共 12 分。）

27. ACD　28. BCE　29. ACE　30. BCDE　31. BCDE　32. BE

三、名词解释题（本大题共 5 小题，每小题 4 分，共 20 分。）

33. 答：教会文学是中世纪欧洲长期占统治地位的文学。其题材大多取自《圣经》，主要是宣扬基督教教义。艺术上多采用梦幻的形式和象征寓意的手法。

34. 哈姆莱特是莎士比亚同名悲剧的主人公。他代表处于理想与现实矛盾中的人文主义者形象，其性格忧郁、善于思考。

35. 答：莫里哀是 17 世纪法国古典主义喜剧家。其剧作具有现实主义精神，批判矛头指向封建贵族。他的代表作是《伪君子》。

36. “威塞克斯小说”是 19 世纪英国作家哈代创作的“性格与环境小说”。故事以英国西南部的道赛特郡及附近地区（古称威塞克斯）为背景，故称为“威塞克斯小说”，其代表作是《德伯家的苔丝》。

37. 答：《吠陀》是古印度最早的诗体文献，是婆罗门教的经典。它是以人生与宗教为主题的抒情诗，记录了印度上古时期的巫术、宗教、哲学等内容。

四、简答题（本大题共 3 小题，每小题 6 分，共 18 分。）

38. 答：他是荷马史诗中个性鲜明的形象，性格立体多元。他具有英雄主义精神，勇于维护个人荣誉和尊严。

39. 答：它表达了“他人就是地狱”和“自由选择”的主题，肯定了自由的重要性，也表达了行动可以改变生存状况的思想。

40. 答：《戈拉》的人物对话富有论辩性，其中的人物形象对比鲜明，并采用优美的抒情格调表述。

五、论述题（本大题共 2 小题，每小题 12 分，共 24 分。）

41. 答：于连·索黑尔是斯丹达尔小说《红与黑》的主人公。他性格复杂，经历了反抗—妥协—反抗的变化。他是法国复辟时期小资产阶级知识分子个人奋斗的典型。他是“性格分裂”的人物，是一个自尊、自爱、勇敢、真诚与自卑、怯懦、虚伪的矛盾统一体。

42. 答：（1）思想特征方面，现代主义文学主要表现了现代社会人的异化以及孤独感、危机感等现代意识；体现了人与社会、人与人、人与自然、人与自我四种基本关系的扭曲、割裂和矛盾。

（2）艺术特征方面，现代主义文学其具有鲜明的主观性、内向性、表现性；采用了象征、意识流、荒诞等表现手法；其在形式和技巧等方面进行了创新和实验。

注：未结合作品内容具体阐述，可适当减分。

全国高等教育自学考试
外国文学史模拟试卷（十五）

（课程代码　00540）

第Ⅰ部分　选择题（38分）

一、单项选择题（本大题共26小题，每小题1分，共26分。在每小题列出的四个备选项中只有一个是符合题目要求的，请将其代码填写在题后的括号内。错选、多选或未选均无分。）

1.《埃涅阿斯纪》的作者维吉尔是（　　）。

A. 古罗马诗人　　B. 古希腊诗人

C. 古埃及诗人　　D. 古印度诗人

2. 古希腊文学中反映人类对自然和社会斗争的史诗是（　　）。

A.《伊利昂纪》　　B.《奥德修纪》

C.《俄狄浦斯王》　　D.《吉尔伽美什》

3. 被誉为“戏剧艺术的荷马”的古希腊诗人是（　　）。

A. 埃斯库罗斯　　B. 索福克勒斯

C. 欧里庇得斯　　D. 阿里斯托芬

4. 作为欧洲封建骑士制度产物的文学是（　　）。

A. 骑士文学　　B. 城市文学

C. 教会文学　　D. 乡村文学

5. “大学才子派”是（　　）。

A. 英国剧作家　　B. 意大利剧作家

C. 德国剧作家　　D. 西班牙剧作家

6.《坎特伯雷故事集》的作者是（　　）。

A. 龙沙　　B. 拉伯雷

C. 乔叟　　D. 薄伽丘

7.《威尼斯商人》中的商业资本家是（　　）。

A. 伊阿古　　B. 葛罗斯特

C. 夏洛克　　D. 安东尼奥

8. 小说《天路历程》的作者是（　　）。

A. 约翰·班扬　　B. 罗伯特·格林

C. 托马斯·莫尔　　D. 劳伦斯·斯特恩

9. 使法国古典主义悲剧走向成熟的作家是（　　）。

A. 弥尔顿　　B. 拉辛

C. 布瓦洛　　D. 高乃依

10. 海涅的代表作是（　　）。

A.《麦布女王》　　B.《恰尔德·哈洛尔德游记》

C.《西风颂》　　D.《德国—— 一个冬天的童话》

11. 被称为“美国文学之父”的作家是（　　）。

A. 欧文　　B. 霍桑

C. 库珀　　D. 爱伦·坡

12.《巴黎圣母院》中的女主人公是（　　）。

A. 珂赛特　　B. 海黛

C. 阿达拉　　D. 爱斯梅哈尔达

13. 普希金《上尉的女儿》是（　　）。

A. 历史小说　　B. 书信体小说

C. 教育小说　　D. 自传体小说

14. 标志着法国现实主义文学形成的作品是（　　）。

A.《高老头》　　B.《红与黑》

C.《包法利夫人》　　D.《舒昂党人》

15. 把美国废奴运动推向高潮的小说是（　　）。

A.《白奴》　　B.《荒野的呼唤》

C.《汤姆·索亚历险记》　　D.《汤姆大伯的小屋》

16. 狄更斯带有一定自传性质的作品是（　　）。

A.《双城记》　　B.《董贝父子》

C.《大卫·科波菲尔》　　D.《匹克威克外传》

17.《死魂灵》中兼有吝啬鬼和守财奴特点的人物是（　　）。

A. 玛尼洛夫　　B. 乞乞科夫

C. 泼留希金　　D. 柯罗博奇卡

18. 陀思妥耶夫斯基的处女作是（　　）。

A.《穷人》　　B.《罪与罚》

C.《白痴》　　D.《卡拉马佐夫兄弟》

19. 诗集《恶之花》的作者是（　　）。

A. 兰波　　B. 马拉美

C. 魏尔伦　　D. 波德莱尔

20. “解冻”文学思潮产生于（　　）。

A. 德国　　B. 英国

C. 美国　　D. 苏联

21. 艾略特的《荒原》是（　　）。

A. 小说　　B. 诗歌

C. 戏剧　　D. 散文

22. 贝克特的代表作是（　　）。

A.《第二十二条军规》　　B.《秃头歌女》

C.《等待戈多》　　D.《百年孤独》

23. 存在主义的代表作家是（　　）。

A. 萨特　　B. 普鲁斯特

C. 乔伊斯　　D. 马尔克斯

24.《旧约》中最富有犹太民族特色的抒情长诗是（　　）。

A.《雅歌》　　B.《约伯记》

C.《诗篇》　　D.《耶利米哀歌》

25. 世界文学史上最早的长篇小说是（　　）。

A.《竹取物语》
B.《伊势物语》
C.《平家物语》
D.《源氏物语》

26.《辛伯达航海旅行的故事》中的主人公辛伯达是（　　）。

A. 商人
B. 渔夫
C. 冒险家
D. 航海家

二、多项选择题（本大题共 6 小题，每小题 2 分，共 12 分。在每小题列出的五个备选项中至少有两个是符合题目要求的，请将其代码填写在题后的括号内。错选、多选、少选或未选均无分。）

27. 欧洲中世纪出现的英雄史诗有（　　）。

A.《罗兰之歌》
B.《伊戈尔远征记》
C.《熙德之歌》
D.《尼伯龙根之歌》
E.《贝奥武甫》

28. 文艺复兴时期著名的西班牙作家有（　　）。

A. 维加
B. 彼特拉克
C. 马洛
D. 塞万提斯
E. 莎士比亚

29. 法国浪漫主义文学的代表作家有（　　）。

A. 夏多布里昂
B. 缪塞
C. 斯达尔夫人
D. 大仲马
E. 乔治·桑

30. 俄国文学中的“多余人”形象有（　　）。

A. 英沙洛夫
B. 罗亭
C. 奥涅金
D. 奥勃洛摩夫
E. 毕巧林

31.《德伯家的苔丝》中的人物有（　　）。

A. 裘德
B. 苔丝
C. 亚雷
D. 游苔莎
E. 克莱

32.《浮士德》中的主人公在人生道路上经历的阶段有（　　）。

A. 知识悲剧　　B. 生活悲剧

C. 政治悲剧　　D. 美的悲剧

E. 事业悲剧

第Ⅱ部分　非选择题（62 分）

三、名词解释题（本大题共 5 小题，每小题 4 分，共 20 分。）

33. 启蒙运动

34. “拜伦式英雄”

35. 易卜生

36. “迷惘的一代”

37.《亡灵书》

四、简答题（本大题共 3 小题，每小题 6 分，共 18 分。）

38. 简析维特形象。

39. 简述《复活》的思想内容。

40. 简述日本自然主义文学的特征。

五、论述题（本大题共 2 小题，每小题 12 分，共 24 分。）

41. 论述《伪君子》的主题。

42. 论述卡夫卡《变形记》的艺术特色。

全国高等教育自学考试
外国文学史模拟试卷（十五）
参考答案

（课程代码　00540）

一、单项选择题（本大题共26小题，每小题1分，共26分。）

1. A	2. B	3. B	4. A	5. A	6. C	7. D
8. A	9. B	10. D	11. A	12. D	13. A	14. B
15. D	16. C	17. C	18. A	19. D	20. D	21. B
22. C	23. A	24. D	25. D	26. A		

二、多项选择题（本大题共6小题，每小题2分，共12分。）

27. ABCDE　28. AD　29. ABCDE　30. BCDE　31. BCE　32. ABCDE

三、名词解释题（本大题共5小题，每小题4分，共20分。）

33. 答：启蒙运动是18世纪在欧洲兴起的资产阶级思想文化运动。它是继文艺复兴之后，又一次反封建反教会的思想解放运动，它以理性分析经验世界，旨在启迪民众心智，推动社会进步。

34. 答："拜伦式英雄"是英国诗人拜伦所塑造的系列形象。他们的共同特征是高傲、孤独、倔强，与社会进行不妥协的斗争。这些形象表达了诗人自己对社会的反抗精神。

35. 答：易卜生是19世纪欧洲"社会问题剧"的创始人，他将深刻的思想融入戏剧，被称为"现代戏剧之父"，他的代表作是《玩偶之家》。

36. 答："迷惘的一代"指一战之后的一代美国青年。他们信仰崩溃，沉浸在艺术领域里修补、慰藉受损的自我。这一时期的代表作家有海明威等。

37. 答：《亡灵书》是古埃及最有代表性的诗歌总集。它是指导死者对付地下王国种种磨难的诗歌汇集。《亡灵书》反映了古埃及人企图将生命的荣华富贵延续到后世的幻想。

四、简答题（本大题共3小题，每小题6分，共18分。）

38. 答：(1) 维特是歌德书信体小说《少年维特的烦恼》中的主人公。

(2) 维特热爱自然，追求个性解放与感情自由。

(3) 维特的追求与烦恼是一代年轻人的写照。

39. 答：(1)《复活》一书对社会进行了全面而无情的批判。

(2) 该书揭露了法庭的草菅人命，遣责了官方教会的伪善和欺骗，揭示了地主和农民的矛盾。

(3) 该书通过塑造聂赫留朵夫和玛丝洛娃形象，传播托尔斯泰主义思想。

40. 答：(1) 日本自然主义文学着重对生活的认真写实和严肃摹写。

(2) 日本自然主义文学彻底摒弃文言文，代之以明白晓畅的口语。

(3) 日本自然主义文学倡导个性自由精神，揭露社会黑暗。

五、论述题（本大题共2小题，每小题12分，共24分。）

41. 答：(1)《伪君子》揭露了宗教的欺骗性和危害性。

(2)《伪君子》揭示了骗子共同的欺骗手段。

(3) 书中，答尔丢夫是伪善的化身，是"伪君子"的代名词。

注：未结合作品内容具体阐述，可适当减分。

42. 答：(1)《变形记》通过现实与虚幻、总体荒诞与细节真实的有机结合，表现出人的异化主题。

(2)《变形记》用寓意和象征的手法，表现作者对社会人生的理解和体悟，也不拒斥现实主义小说创作的人物塑造、编织故事的艺术传统。

注：未结合作品内容具体阐述，可适当减分。

全国高等教育自学考试
外国文学史模拟试卷（十六）

（课程代码 00540）

第Ⅰ部分 选择题（38分）

一、单项选择题（本大题共26小题，每小题1分，共26分。在每小题列出的四个备选项中只有一个是符合题目要求的，请将其代码填写在题后的括号内。错选、多选或未选均无分。）

1. 亚里士多德的代表作是（　　）。

A.《诗学》　　B.《诗艺》

C.《理想国》　　D.《会饮篇》

2. 以特洛伊战争为背景的史诗是（　　）。

A.《贝奥武甫》　　B.《埃涅阿斯纪》

C.《罗兰之歌》　　D.《荷马史诗》

3. 被誉为古希腊"喜剧之父"的诗人是（　　）。

A. 欧里庇得斯　　B. 埃斯库罗斯

C. 阿里斯托芬　　D. 米南德

4. 索福克勒斯的代表作是（　　）。

A.《美狄亚》　　B.《安提戈涅》

C.《俄狄浦斯王》　　D.《被缚的普罗米修斯》

5. 意大利第一位民族诗人是（　　）。

A. 但丁　　B. 薄伽丘

C. 维吉尔　　D. 塞万提斯

6. 彼特拉克的代表作是（　　）。

A.《乌托邦》　　B.《歌集》

C.《羊泉村》　　D.《新生》

7.《威尼斯商人》中的吝啬鬼形象是（　　）。

A. 阿巴贡　　B. 夏洛克

C. 泼留希金　　D. 葛朗台

8.《格列佛游记》属于（　　）。

A. 讽刺小说　　B. 哲理小说

C. 感伤小说　　D. 教育小说

9. 历史小说《艾凡赫》的作者是（　　）。

A. 雨果　　B. 大仲马

C. 笛福　　D. 司各特

10.《少年维特的烦恼》的女主人公是（　　）。

A. 绿蒂　　B. 玛格丽特

C. 凯瑟琳　　D. 索菲亚

11.《德国—— 一个冬天的童话》的作者是（　　）。

A. 海涅　　B. 拜伦

C. 歌德　　D. 夏多布里昂

12. 雨果的作品《巴黎圣母院》是（　　）。

A. 现实主义小说　　B. 古典主义戏剧

C. 浪漫主义小说　　D. 象征主义诗歌

13. 与“波尔金诺的秋天”相关的作家是（　　）。

A. 果戈理　　B. 莱蒙托夫

C. 普希金　　D. 陀思妥耶夫斯基

14.《红字》的作者霍桑是（　　）。

A. 法国人　　B. 美国人

C. 英国人　　D. 德国人

15. 法国19世纪现实主义文学奠基作是（　　）。

A.《高老头》　　B.《红与黑》

C.《罪与罚》　　D.《巴马修道院》

16. “宪章派文学”产生于（　　）。

A. 法国　　B. 美国

C. 俄国　　D. 英国

17.《双城记》的故事背景是（　　）。

A. 普法战争　　B. 法国大革命

C. 英法战争　　D. 英国资产阶级革命

18. 被法朗士称为“短篇小说之王”的作家是（　　）。

A. 莫泊桑　　B. 欧·亨利

C. 契诃夫　　D. 马克·吐温

19.《汤姆大伯的小屋》属于（　　）。

A. 战争文学　　B. 解冻文学

C. 市民文学　　D. 废奴文学

20.《美国的悲剧》的作者是（　　）。

A. 德莱塞　　B. 马克·吐温

C. 斯坦贝克　　D. 索尔·贝娄

21. 塑造葛利高里形象的作品是（　　）。

A.《太阳照样升起》　　B.《死魂灵》

C.《第二十二条军规》　　D.《静静的顿河》

22. 长篇小说《尤利西斯》的作者是（　　）。

A. 詹姆斯·乔伊斯　　B. 尤金·尤奈斯库

C. 威廉·福克纳　　D. 弗吉尼亚·沃尔夫

23. 古埃及第一部诗歌总集是（　　）。

A.《吠陀》　　B.《亡灵书》

C.《旧约》　　D.《吉尔伽美什》

24. 迦梨陀娑的代表作《沙恭达罗》是（　　）。

A. 戏剧　　B. 小说

C. 故事　　D. 史诗

25. 川端康成获得诺贝尔文学奖的时间是（　　）。

A. 1913 年　　B. 1968 年

C. 1989 年　　D. 1991 年

26. 《宫间街》三部曲的作者是（　　）。

A. 戈迪默　　B. 纪伯伦

C. 索因卡　　D. 马哈福兹

二、多项选择题（本大题共 6 小题，每小题 2 分，共 12 分。在每小题列出的五个备选项中至少有两个是符合题目要求的，请将其代码填写在题后的括号内。错选、多选、少选或未选均无分。）

27. 中古时期欧洲的主要文学形式有（　　）。

A. 教会文学　　B. 骑士文学

C. 英雄史诗　　D. 城市文学

E. 启蒙文学

28. 莫里哀的作品包括（　　）。

A.《伪君子》　　B.《唐璜》

C.《吝啬鬼》　　D.《安德洛玛克》

E.《天路历程》

29. 《抒情歌谣集》的作者有（　　）。

A. 济慈　　B. 华兹华斯

C. 拜伦　　D. 柯勒律治

E. 雪莱

30. 哈代的“威塞克斯小说”有（　　）。

A.《列王》　　B.《无名的裘德》

C.《还乡》　　D.《德伯家的苔丝》

E.《卡斯特桥市长》

31. “迷惘的一代”的代表作家有（　　）。

A. 海明威　　B. 杰克·伦敦

C. 奥尼尔　　D. 菲茨杰拉德

E. 帕索斯

32.《雪国》中塑造的主要人物形象有（　　）。

A. 驹子　　B. 岛村

C. 叶子　　D. 千重子

E. 行男

第Ⅱ部分　非选择题（62 分）

三、名词解释题（本大题共 5 小题，每小题 4 分，共 20 分。）

33. 荷马史诗

34. 文艺复兴

35. “多余人”

36. “人物再现法”

37. 夏目漱石

四、简答题（本大题共 3 小题，每小题 6 分，共 18 分。）

38. 简析浮士德形象。

39. 简述萨特《墙》的“自由选择”主题。

40. 简述《吉檀迦利》的思想内容。

五、论述题（本大题共 2 小题，每小题 12 分，共 24 分。）

41. 论述《哈姆莱特》的思想价值。

42. 分析安娜·卡列尼娜的形象及其悲剧的根源。

全国高等教育自学考试
外国文学史模拟试卷（十六）
参考答案

（课程代码　00540）

一、单项选择题（本大题共 26 小题，每小题 1 分，共 26 分。）

1. A	2. D	3. C	4. C	5. A	6. B	7. B
8. A	9. D	10. A	11. A	12. C	13. C	14. B
15. B	16. D	17. B	18. A	19. D	20. A	21. D
22. A	23. B	24. A	25. B	26. D		

二、多项选择题（本大题共 6 小题，每小题 2 分，共 12 分。）

27. ABCD　28. ABC　29. BD　30. BCDE　31. ADE　32. ABCE

三、名词解释题（本大题共 5 小题，每小题 4 分，共 20 分。）

33. 答：荷马史诗是欧洲文学中最早的优秀作品，包括《伊利昂纪》和《奥德修纪》。前者以战争为主要内容，后者写战争结束后在海上漂泊十年的故事。它歌颂了集体主义和英雄主义精神。

34. 答：文艺复兴是 14 世纪至 16 世纪发生在欧洲许多国家的一场资产阶级反封建、反教会的思想文化运动。它以人文主义为中心思想，发端于意大利。

35. 答："多余人"是 19 世纪俄国文学中贵族知识分子的一种典型。他们接受启蒙思想的影响，厌倦上流社会生活，但缺乏行动的能力和勇气。"多余人"的代表人物有奥涅金、毕巧林、奥勃洛摩夫等。

36. 答："人物再现法"是巴尔扎克塑造人物的独创手法。"人物再现法"在《人间喜剧》不同的小说中人物反复出现，以表现其性格发展和不同生活阶段。如此能使作品联结起来，也使《人间喜剧》形成一个艺术整体。

37. 答：夏目漱石是日本近代著名现实主义作家。他的长篇讽刺小说《我是猫》集中描写明治时期的知识分子和资本家，批判社会的黑暗和罪恶，结构独特。他的创作拓宽了日本近代文学的表现领域。

四、简答题（本大题共 3 小题，每小题 6 分，共 18 分。）

38. 答：(1) 浮士德在人生道路上经历了五个阶段，既受本能欲望的驱使，追求权势、地位和女人，又能摆脱诱惑。

(2) 浮士德身上"灵"与"肉"的矛盾，体现了普通人所具有的两重性特征，也是人类自身复杂性的体现。

39. 答：(1)"我"进行了"自由选择"，却仍然遭遇了逆转或颠覆。

(2)"我"发现生与死之间如一"墙"之隔，"我"获得了自由，其实不是本意，却成了"我"自由选择的结果。

(3)"墙"表明存在的无可逃避。

40. 答：(1)《吉檀迦利》是印度近代作家泰戈尔 1913 年获得诺贝尔文学奖的宗教抒情诗集。

(2) 该书通过对神的礼赞，表达了美好的生活理想和爱国热情。

(3) 该书流露出"泛爱"的人道主义思想。

五、论述题（本大题共 2 小题，每小题 12 分，共 24 分。）

41. 答：(1) 将哈姆莱特塑造为一个处于理想与现实矛盾中的人文主义者形象。

(2) 哈姆莱特复仇的延宕，反映了欧洲文艺复兴晚期信仰失落时人们进退两难的矛盾心理。

(3) 哈姆莱特对人性的思考，成为近代以来欧洲文学思考人性问题的开端。

42. 答：(1) 安娜·卡列尼娜是一个追求个性解放的贵族妇女和悲剧人物。

(2) 发生悲剧的内在原因是她独特的个性与社会环境发生的冲突；外在原因是虚伪的上流社会和冷酷的官僚世界。

附 录

四川省高等教育自学考试
汉语言文学（专升本）专业教材明细表

专业代码	专业名称	层次	课程代码	课程名称	教材名称	教材主编	教材出版社	版次
050101	汉语言文学	专升本	00037	美学	美学	朱立元	北京大学出版社	2019 年版
050101	汉语言文学	专升本	00037	美学	美学模拟试题集	张静	西南财经大学出版社	2024 年版
050101	汉语言文学	专升本	00536	古代汉语	古代汉语	王宁	北京大学出版社	2009 年版
050101	汉语言文学	专升本	00536	古代汉语	古代汉语模拟试题集	张静	西南财经大学出版社	2024 年版
050101	汉语言文学	专升本	00537	中国现代文学史	中国现代文学史	丁帆、朱晓进	北京大学出版社	2011 年版
050101	汉语言文学	专升本	00537	中国现代文学史	中国现代文学史模拟试题集	张静	西南财经大学出版社	2024 年版
050101	汉语言文学	专升本	00538	中国古代文学史（一）	中国古代文学史（一）	陈洪、张峰屹	北京大学出版社	2011 年版
050101	汉语言文学	专升本	00538	中国古代文学史（一）	中国古代文学史（一）模拟试题集	张静	西南财经大学出版社	2024 年版
050101	汉语言文学	专升本	00539	中国古代文学史（二）	中国古代文学史（二）	陈洪、张峰屹	北京大学出版社	2011 年版
050101	汉语言文学	专升本	00539	中国古代文学史（二）	中国古代文学史（二）模拟试题集	张静	西南财经大学出版社	2024 年版
050101	汉语言文学	专升本	00540	外国文学史	外国文学史	孟昭毅	北京大学出版社	2023 年版
050101	汉语言文学	专升本	00540	外国文学史	外国文学史模拟试题集	张静	西南财经大学出版社	2024 年版
050101	汉语言文学	专升本	00541	语言学概论	语言学概论	沈阳、贺阳	外语教学与研究出版社	2015 年版
050101	汉语言文学	专升本	00541	语言学概论	语言学概论模拟试题集	张静	西南财经大学出版社	2024 年版

表(续)

专业代码	专业名称	层次	课程代码	课程名称	教材名称	教材主编	教材出版社	版次
050101	汉语言文学	专升本	03708	中国近现代史纲要	中国近现代史纲要自学考试学习读本	李捷、王顺生	高等教育出版社	2018 年版
050101	汉语言文学	专升本	03708	中国近现代史纲要	中国近现代史纲要模拟试题集	梁勤	西南财经大学出版社	2023 年版
050101	汉语言文学	专升本	03709	马克思主义基本原理概论	马克思主义基本原理概论自学考试学习读本	卫兴华、赵家祥	北京大学出版社	2018 年版
050101	汉语言文学	专升本	03709	马克思主义基本原理概论	马克思主义基本原理概论模拟试题集	梁勤	西南财经大学出版社	2023 年版
050101	汉语言文学	专升本	01611	沟通技巧	沟通技巧	谢红霞	中国人民大学出版社	2018 年版
050101	汉语言文学	专升本	04635	诗词赏析	高校人文通识课程教材：唐宋诗词分类鉴赏	徐旭平	云南大学出版社	2011 年版
050101	汉语言文学	专升本	07562	报告文学研究	报告文学现代转型研究	龚举善	中国社会科学出版社	2012 年版
050101	汉语言文学	专升本	10400	中国当代文学名家研究	中国现当代作家作品专题研究	刘增杰	大象出版社	2019 年版
050101	汉语言文学	专升本	11213	语文教学研究	语文教研理论指导	周小蓬、曾毅、欧治华	北京大学出版社	2022 年版

四川省高等教育自学考试
汉语国际教育（专升本）专业教材明细表

专业代码	专业名称	层次	课程代码	课程名称	教材名称	教材主编	教材出版社	版次
050103	汉语国际教育	专升本	00538	中国古代文学史（一）	中国古代文学史（一）	陈洪、张峰屹	北京大学出版社	2011 年版
050103	汉语国际教育	专升本	00538	中国古代文学史（一）	中国古代文学史（一）模拟试题集	张静	西南财经大学出版社	2024 年版
050103	汉语国际教育	专升本	00539	中国古代文学史（二）	中国古代文学史（二）	陈洪、张峰屹	北京大学出版社	2011 年版
050103	汉语国际教育	专升本	00539	中国古代文学史（二）	中国古代文学史（二）模拟试题集	张静	西南财经大学出版社	2024 年版
050103	汉语国际教育	专升本	00540	外国文学史	外国文学史	孟昭毅	北京大学出版社	2023 年版

表(续)

专业代码	专业名称	层次	课程代码	课程名称	教材名称	教材主编	教材出版社	版次
050103	汉语国际教育	专升本	00540	外国文学史	外国文学史模拟试题集	张静	西南财经大学出版社	2024 年版
050103	汉语国际教育	专升本	00541	语言学概论	语言学概论	沈阳、贺阳	外语教学与研究出版社	2015 年版
050103	汉语国际教育	专升本	00541	语言学概论	语言学概论模拟试题集	张静	西南财经大学出版社	2024 年版
050103	汉语国际教育	专升本	01210	对外汉语教学法	汉语作为第二语言教学的教学方法研究	吴勇毅	商务印书馆出版	2019 年版
050103	汉语国际教育	专升本	01210	对外汉语教学法	对外汉语教学法模拟试题集	张静	西南财经大学出版社	2024 年版
050103	汉语国际教育	专升本	13157	现代汉语	现代汉语	齐沪扬	北京大学出版社	2023 年版
050103	汉语国际教育	专升本	13157	现代汉语	现代汉语模拟试题集	张静	西南财经大学出版社	2024 年版
050103	汉语国际教育	专升本	03708	中国近现代史纲要	中国近现代史纲要自学考试学习读本	李捷、王顺生	高等教育出版社	2018 年版
050103	汉语国际教育	专升本	03708	中国近现代史纲要	中国近现代史纲要模拟试题集	梁勤	西南财经大学出版社	2023 年版
050103	汉语国际教育	专升本	03709	马克思主义基本原理概论	马克思主义基本原理概论自学考试学习读本	卫兴华、赵家祥	北京大学出版社	2018 年版
050103	汉语国际教育	专升本	03709	马克思主义基本原理概论	马克思主义基本原理概论模拟试题集	梁勤	西南财经大学出版社	2023 年版
050103	汉语国际教育	专升本	00664	中国书法简史	中国书法简史	王镛	高等教育出版社	2004 年版
050103	汉语国际教育	专升本	01213	汉英语对比	汉英语言对比概论	潘文国、赵金铭、齐沪扬等	商务印书馆	2010 年版
050103	汉语国际教育	专升本	06778	中国现当代文学史	中国现当代文学	刘勇、李春雨	中国人民大学出版社	2023 年版
050103	汉语国际教育	专升本	10471	文字学	汉字学教程	方有国、李茂康	西南大学出版社	2020 年版
050103	汉语国际教育	专升本	13942	课程与教学案例评析	国际汉语教学案例与分析	朱勇	高等教育出版社	2015 年版

西南财经大学出版社
郑重声明